LAS AVENTURAS DE ALICIA EN EL PAÍS DE LAS MARAVILLAS

LEWIS CARROLL

Las aventuras de Alicia en el País de las Maravillas

Título original: *Alice's Adventures in Wonderland,* 1865
© De la traducción: Ramón Buckley
© Diseño cubierta: Felipe Torrijos
Ilustración cubierta: Arthur Rackham, *Alice's Adventures in Wonderland,* 1907
© De la colección: Proyectos Ánfora, 1999
© De esta edición: JORGE A. MESTAS, Ediciones Escolares, S. L.
Avenida de Guadalix, 103
28120 Algete (Madrid)
Tel. 91 886 43 80
Fax: 91 886 47 19
E-mail:jamestas@arrakis.es
www.mestasediciones.com

ISBN: 84-89163-43-X
Depósito legal: M-17982-2005
Impreso en España por: Melsa
Carretera de Fuenlabrada a Pinto, km. 21,8
28320 Pinto - Madrid
Printed in Spain - Impreso en Melsa

Primera edición: *marzo 1999*
Segunda edición: *marzo 2001*
Tercera edición: *mayo 2005*

INTRODUCCIÓN

Cuando, en el año 1819, nacía en el palacio de Kensington en Londres una niña llamada Victoria, nadie sospechaba que aquella niña iba a ser la protagonista del período más glorioso de la historia de Inglaterra. Sus padres, Eduardo, duque de Kent, y María Luisa, duquesa de Sajonia-Coburgo, ni siquiera estaban en la línea directa de sucesión al trono inglés. Y, sin embargo, en 1837, al cumplir Victoria los dieciocho años, moría el rey Guillermo, dejándola a ella como heredera al trono de Inglaterra.

Victoria se enteró de que iba a ser reina cuando aún era una niña, como Alicia... Parece ser que, al recibir la noticia, agachó la cabeza y dijo: «¡Pues seré una buena reina!»... También Alicia, en la segunda parte de las *Aventuras,* se entera de que va a ser reina y acepta su real destino... Sería fácil ver en Alicia un retrato de la reina en los años que vivió, siendo aún niña, en el palacio de Kensington. Su padre, Eduardo, murió poco después de nacer ella, de manera que su infancia transcurrió entre mujeres, dominada, sobre todo, por su madre, la duquesa de Kent, mujer de carácter impetuoso y avasallador... ¿No podría ser la duquesa que aparece en nuestra historia un trasunto de aquella duquesa que conoció Victoria en su infancia? En la propia personalidad de Alicia, en su carácter sensible, en su bondad, en su viva imaginación, en su aire de marisabidilla, tenemos las claves de la infancia de la reina.

En su obra, Carroll recoge detalles de la reina y su entorno, pero, mucho más importante aún, sabe plasmar en ella el ambiente de toda una época. La era victoriana fue, ante todo, la era del progreso. Nunca hasta aquel momento de la historia había la humanidad progresado tan aceleradamente. En el terreno científico, las teorías de Charles Darwin sobre la evolución suponían un replanteamiento radical de las creencias sobre el origen del hombre. Darwin establece la vinculación definitiva del hombre con el reino animal, y Carroll, siguiendo la misma línea de pensamiento, emplea animales para caricaturizar la conducta humana.

Progreso económico impulsado por las teorías de Stuart Mills y los librecambistas de Manchester. Surge la figura del hombre de negocios como sujeto «activo» de la actividad económica y mercantil. De pronto la humanidad tiene prisa, y el Conejo Blanco de Carroll es una excelente caricatura de este nuevo ser humano que siempre está corriendo, que tiene prisa por llegar... ¡a ninguna parte!

Progreso que se advierte también en las exploraciones y viajes de los ingleses por todo el mundo. Los viajes de Livingstone y Stanley apasionaban al público inglés, que seguía sus aventuras por el corazón de África con entusiasmo. Alicia también, en la obra que estamos comentando, emprende un viaje fantástico a un país desconocido. La obra de Carroll no podría entenderse si no es en el contexto de los grandes libros de viaje que escribían sus contemporáneos. El país que Alicia, en sueños, se dispone a explorar es el país de los mayores, tan exótico para un niño como lo era el África Central para el lector medio inglés.

Pero el progreso más palpable era sin duda la nueva tecnología que había surgido con la máquina de vapor. La «revolución industrial» se manifestaba en todos los órdenes y aspectos de la vida diaria, desde las altas chimeneas que crecían como hongos en las ciudades del norte de Inglaterra, a las interminables hileras de casas de ladrillo que daban cobijo a la nueva clase obrera, hasta los ferrocarriles que multiplicaban por diez la velocidad de las antiguas diligencias... El ferrocarril también está presente en *Alicia,* si bien el revisor del tren advierte a la niña que está realizando el viaje «sin billete y en dirección contraria».

Sorprende, en esta época tan abocada al progreso y, en definitiva, tan materialista, encontrar un fuerte espíritu que trataba de reconciliar los descubrimientos y las nuevas teorías científicas con las creencias religiosas tradicionales:

> «¡Que crezcan, sí, nuestros conocimientos,
> pero sin disminuir la reverencia
> de nuestro espíritu, y se produzca
> la unión de Dios y la inteligencia!»

decía Lord Tennyson, el poeta más importante de la época.

Pero se trataba de un concepto religioso bastante pedestre, que no quería poner al hombre en contacto con Dios, sino más bien darle una serie de consejos prácticos sobre cómo debía vivir su vida y lo que debía y no debía hacer... El mercado literario estaba plagado de fábulas, poemas, sermones y cuentos que pretendían aleccionar al hombre sobre la auténtica vida cristiana... Toda la invectiva de Carroll cae sobre esta literatura didáctica y su obra no es sino una parodia de esta falsa literatura moralista. (En la escuela del Mar, la Tortuga aprende a... «¡beber y a escupir!»).

Prevalecía en la época victoriana una moral del trabajo, incluso del trabajo por el trabajo, de la voluntad como la cualidad más importante del hombre, con la que podía forjar su propio destino. El apóstol máximo de estas teorías era Thomas Carlyle, que escribía sus teorías sobre el heroísmo y la voluntad del hombre para sobreponerse a las adversidades. Naturalmente, el trabajo era el verdadero motor del progreso en la era victoriana y difícilmente hubiera podido dar la humanidad ese salto cualitativo hacia el futuro que fue la revolución industrial sin una «moral del trabajo» que lo respaldara.

Quizá como reacción a la filosofía de Carlyle, Carroll nos propone lo contrario, un «homo ludens», es decir, un hombre que juega, un hombre cuya actividad principal es el jugar. Por eso vuelve Carroll la vista con nostalgia hacia la infancia del hombre, cuando su actividad fundamental se centra en el juego. Crecer, hacerse mayor, viene a decirnos Carroll, consiste fundamentalmente en dejar de jugar... En el juego puede el hombre ejercer la única cualidad realmente creadora que posee, la imaginación. «El hombre sólo es realista a sí mismo cuando juega», nos dice Carroll.

La obra de Carroll consiste, esencialmente, en una subversión de los juegos victorianos y de sus reglas. Alicia participa, junto con muchos animales, en una carrera que no tiene principio ni fin, en la que nadie da la orden de salida ni de llegada, en la que no hay un vencedor sino que todos vencen... Al final de la narración, participa en un partido de croquet en el que la maza es un flamenco, la bola un erizo y el aro un naipe, y en la que todos los jugadores están sometidos a las decisiones arbitrarias de la reina. Pero el juego más apasionante al que juega Alicia es el juego del idioma.

«Una lengua no es más que un juego en el que participan todas aquellas personas que lo hablan. Como tal juego, tiene su estructura y sus reglas, que suelen ser totalmente arbitrarias y cuya validez estriba únicamente en que sean aceptadas por todas aquellas personas que lo practiquen».

La lengua es el único juego que el adulto conserva de su época de niño. Al jugar con las palabras, el adulto vuelve a ser niño. Y esto es justamente lo que hace Carroll en su obra, toma las palabras del texto y las vuelve del revés, juega con ellas a su capricho y se inventa nuevos significados...

Alicia en el País de las Maravillas no es sino un gigantesco juego verbal, una pesada broma, que Carroll gastó a sus compatriotas a costa de su propia lengua... Carroll se divierte en mostrarnos cómo la lengua ya no es el medio de comunicación entre seres humanos, sino justamente lo contrario, la fuente de la incomprensión, el equívoco, la ambigüedad y en definitiva el absurdo.

El endiablado juego de Carroll con la lengua inglesa supone, en definitiva, la revancha del hombre-individuo frente a una sociedad como la victoriana, que contemplaba al hombre como ser social.

«Carroll era el prototipo de «don» (profesor) de Oxford a mediados del siglo XIX... persona retraída pero de extraordinario ingenio e inteligencia... sus hermanas lo adoraban... respetado por sus colegas, admirado por sus estudiantes... Pero, dentro de esta esencia, se alojaba un cristal duro, incorruptible, imperecedero... el diamante puro de su propia niñez... y así Carroll podía hacer lo que nadie había hecho antes, lo que nadie ha hecho después: regresar a su propia niñez, recrear ese mundo de forma tan perfecta que todos nosotros nos volvemos a sentir niños al leerlo... Los libros de *Alicia* no son libros «para» niños, son libros mediante los cuales nosotros, los lectores adultos, nos volvemos a sentir niños de nuevo».

Charles Lutwidge Dodgson (tal era el verdadero nombre de Lewis Carroll) nació en Cheshire en el año 1832. Su padre era pastor protestante, lo cual influyó en la religiosidad del joven Carroll y quizá también en su desprecio de toda moralidad hipócrita.

Como todo joven inglés de clase media, fue enviado a un colegio interno, donde aprendió la dura disciplina de la soledad. Uno de los compañeros de Charles en la escuela de Rugby fue Thomas Hughes, que escribiría *Tom Browns Schooldays* (Tom Brown en la escuela), el cual nos permite reconstruir los días colegiales de Lewis Carroll: las bromas pesadas, las novatadas, los estudios, los deportes, el sistema jerárquico entre el alumnado, los «prefectos» y los criados... no es aventurado pensar que en Rugby nace la personalidad retraída, tímida, inclinada a la soledad, del joven Carroll.

En 1850 su padre le envía a matricularse al Christ Church College de Oxford... ¡Poco se imaginaba el joven Carroll que pasaría el resto de sus días entre las paredes del patio rectangular que enmarcan aquel College! Se dedicó a las matemáticas, si bien acabó especializándose en Lógica Matemática, y en 1854 obtenía el título de licenciado con sobresaliente de nota. Al año siguiente, 1855, llegaba a Christ Church College un nuevo decano, llamado Liddell. Venía acompañado de su mujer y de tres hijitas de corta edad. Desde el principio, las tres niñas debían ser la nota chocante en una institución totalmente masculina. No tardó el joven Carroll en trabar amistad con las niñas a las que hace posar para una de sus primeras fotografías, la nueva afición de Carroll.

Sus primeras publicaciones datan también de estos años. Envía contribuciones a la revista más famosa del humor británico, *Punch,* pero no consigue que se las publiquen... Tiene más éxito en *Comic Times* y en *The Train,* donde se publican sus primeros artículos con el nombre de Lewis Carroll. Lewis era un derivado de su segundo nombre, Lutwidge en alemán, Luis en Español, y Carroll de su primer nombre, Charles, Carlos o Carolus. Usando por tanto sus dos patronímicos, Charles Lutwidge Dodgson se había inventado su «nom de plume» literario. Carroll intuía ya, en aquellos momentos todavía juveniles de su vida, que había dos personalidades distintas en su persona. Una de ellas era la de Charles Dodgson... «hombre de vida casta y ordenada, burgués británico de la segunda mitad del XIX, diácono de la iglesia de Inglaterra, remilgado, altivo, impoluto, profundamente aburrido tanto en sus clases como en las reuniones sociales...» Lewis Carroll sería el reverso de la medalla: «escritor de cuentos fantásticos, domesticador de serpientes, zurdo, tartamudo, bello, sordo de un oído, insomne, inventor de cajas de sorpresa, de juegos de palabras en idiomas desconocidos...» ¡Sería un caso de doble personalidad, parecido al que nos proponía, unos año más tarde, Stevenson en *El extraño caso del doctor Jekyll y del señor Hyde.*

Carroll aprovechó la ausencia de los señores Liddell durante un invierno en Madeira para introducirse en su hogar y familiarizarse aún más con las tres hermanitas... Hasta que llegamos a esa fecha ya histórica en la literatura: el 4 de julio de 1862. Como tantas otras tardes de verano, Carroll fue a buscar a las hermanitas Liddell para llevarlas de paseo en barca. Les acompañaba el reverendo Robinson Duckworth, «fellow» del Trinity College.

Aquella expedición acuática habría pasado sin pena ni gloria si no llega a ser por la insistencia de Alicia en que les contara una historia. De regreso a casa, Alicia insistió en que Carroll debía escribir aquella historia que les había contado... De esta forma tan sencilla nacía una de las obras maestras de la literatura de todos los tiempos.

Cuando Lewis Carroll se embarcó en su famosa excursión río arriba, Alicia Liddell tenía exactamente diez años. Su hermana Edith tenía sólo ocho, pero, en cambio, Lorina Liddell tenía ya trece, es decir, había dejado de ser una niña. Alicia todavía lo era, pero muy pronto (¡demasiado pronto!, para Carroll) dejaría de serlo. El cuento que Lewis Carroll les cuenta trata justamente de eso: del momento en que un niño deja de ser niño y comienza a penetrar en el fascinante, misterioso y a la vez absurdo mundo de los adultos.

Se ha dicho que Alicia, al descender por el túnel de la madriguera del conejo, está retrocediendo al útero materno. Todo lo contrario. Está avanzando hacia ese momento, ya muy cercano, en el que ingresará en el mundo social de los mayores. Por eso, al llegar al fondo del túnel, Alicia se encuentra con un frasco que dice «BÉBEME», y Alicia duda si beber o no beber, si crecer o no crecer, si hacerse o no mayor. Alicia bebe y crece y a partir de ese momento pasa revista a toda la sociedad británica de su tiempo, gentes de todas las categorías sociales, desde las clases más bajas del campesinado (Pat o la Lagartija Bill), a la clase media (el Sombrerero), a la burguesía (el Conejo), la nobleza y la realeza... Todo el mundo de los adultos, tal como descubre Alicia, está regido por unas normas que no tienen sentido alguno. La vida es un juego tan absurdo y arbitrario como el partido de croquet que la reina organiza en sus propios jardines...

Lewis Carroll nos cuenta en *Alicia* el último y definitivo sueño de la niñez: el sueño en el que el niño se enfrenta al mundo de los adultos no para verlo desde fuera, sino para ingresar en él. El ingreso del niño en este nuevo mundo supone una aventura tan formidable como lo era para Livingstone adentrarse en el corazón del África. Desde esta perspectiva, *Alicia* se convierte en la primera novela moderna que proclama que los grandes descubrimientos del hombre no están en el espacio exterior sino en su propia interioridad.

RAMÓN BUCKLEY

En una tarde dorada,
por la tranquila corriente,
navegamos lentamente
remando sin decisión.
Y es que manejan los remos
torpes bracitos en vano,
y no consigue la mano
enderezar el timón.

¡Trío cruel! Me pedían
a aquellas horas un cuento,
cuando no tenía aliento
para una pluma mover.
Mas contra tres lenguas juntas,
explicadme, ¿qué podría
hacer la pobre voz mía,
si hablan a la vez las tres?

Prima, imperiosa, su edicto
lanza: «¡Que empiece en seguida!»
Secunda, más comedida,
sólo llega a proponer:
«Que haya muchos disparates.»
Y *Tertia,* a cada momento,
me va interrumpiendo el cuento
cada minuto una vez.

Hecho por fin el silencio,
con fantástica mirada,

van tras la niña soñada
a una tierra sin igual:
País de las Maravillas,
donde aves y bestias parlan
y con ella alegres charlan...
Casi creen que es verdad.

Cuando, agotada la fuente,
de mi seca fantasía,
con voz cansada quería
el relato posponer.
«Otra vez os diré el resto»,
les decía débilmente;
pero ellas alegremente
gritaban: «¡Ya es otra vez!»

Poco a poco fue surgiendo
la tierra maravillosa,
y cada escena curiosa
una a una se forjó.
Y ahora que el cuento ha acabado
vamos, bajo el sol poniente,
bajando por la corriente,
alegre tripulación.

¡Alicia!, acepta este cuento,
y con dedos delicados
ponlo donde están trenzados
sueños del mundo infantil
con la cinta del Recuerdo,
como coronas ajadas
hechas de flores cortadas
en un lejano país.

CAPÍTULO I

Por la madriguera abajo

Alicia comenzaba a cansarse de estar sentada en la pradera junto a su hermana, sin tener nada que hacer. De vez en cuando echaba una ojeada al libro que leía su hermana, pero no tenía ilustraciones ni diálogo... «¿y de qué sirve un libro —se preguntaba Alicia— que no tiene ni dibujos ni conversación?».

Estaba dándole vueltas en la cabeza (eran desde luego unas vueltas muy lentas, porque el calor de aquel día de verano le producía a la niña una extraña somnolencia) a la idea de ir a por margaritas para tejer con ellas una guirnalda de flores, si conseguía vencer la pereza que en aquellos momentos le invadía..., cuando, de pronto, un conejo blanco, con grandes ojos rosados, se cruzó ante ella.

No había *nada* de particular en ello y Alicia *ni siquiera* se sorprendió cuando le oyó decir:

—¡Es tarde, es tarde! ¡Voy a llegar demasiado tarde!

Después le extrañó que no le hubieran sorprendido aquellas palabras en boca de un conejo, pero la verdad es que en aquel momento le pareció la cosa más natural del mundo... Pero, cuando el conejo *sacó un reloj del bolsillo* de su chaleco para consultar la hora, la niña dio un respingo, al darse cuenta de que en su vida no había visto un conejo vestido con americana y chaleco... ¡y no digamos con reloj de bolsillo! Muerta de curiosidad, Alicia corrió por la pradera, tras el conejo, y casi le había dado alcance, cuando vio que se metía por una madriguera que se abría bajo un seto.

Alicia se introdujo también en el agujero del conejo, sin pararse a pensar que una cosa era entrar y otra muy distinta salir de allí.

La madriguera del conejo era como un túnel muy largo, que, de repente, caía en vertical... Tan de repente, que Alicia no tuvo ni tiempo de pensar en frenar su caída, y, así, la niña se precipitó por lo que parecían ser las paredes de un pozo muy profundo...

¿Era el pozo realmente tan profundo o era que la niña caía muy despacio? No sabría decirlo, pero lo cierto es que la niña, en su caída, tuvo tiempo de mirar a su alrededor y preguntarse qué le iba o ocurrir. Al principio trató de mirar hacia abajo para ver lo que había en el fondo de aquel pozo... Pero el fondo estaba demasiado oscuro, así que miró a las paredes del pozo y vio que estaban llenas de armarios y estanterías con libros. Aquí y allá había mapas y cuadros colgando de las paredes. Al pasar por una de esas estanterías, Alicia cogió un tarro con un letrero que decía «MERMELADA DE NARANJA», ¡pero cuál no sería su desilusión, al comprobar que estaba vacío! No quiso soltar el tarro por miedo a dañar a alguien que estuviera en el fondo de aquel pozo, y prefirió dejarlo en la repisa del armario que estaba a su alcance.

«¡Bueno —se dijo Alicia—, después de una caída como ésta, va a parecerme una tontería caerme por las escaleras de mi casa! ¡En casa pensarán que me he vuelto muy valiente! ¡De ahora en adelante no pienso ni rechistar, aunque me caiga del tejado!» (Lo cual, dicho sea de paso..., ¡era una gran verdad!).

Y seguía cayendo, cayendo y cayendo... ¿Es que no acabaría *nunca* aquella caída?

—¡Me gustaría saber cuántas millas he bajado ya! —dijo Alicia en voz alta—. ¡Seguro que ya estoy cerca del centro de la tierra! Me parece que eso está a unas cuatro mil millas aproximadamente... —(como podéis ver, Alicia tenía algunas nociones de geografía, que había aprendido en el colegio, y, aunque aquél no era el momento ni el lugar oportuno para demostrar sus conocimientos, sobre todo porque no había nadie que la escuchara, tampoco le venía mal dar un repaso)—. Sí, creo que ésa es la distancia correcta, pero la verdad es que ignoro la *latitud* y *longitud* de mi posición. (Alicia no tenía la menor idea de lo que eran latitud y longitud, pero le parecían términos muy apropiados para usar en aquellas circunstancias). Y siguió dándole vueltas a la misma idea.

—¡A lo mejor atravieso la tierra y caigo por el otro lado! ¡Sería muy divertido salir por el otro lado y ver a la gente andando boca abajo! Me parece que se llaman las *Antipatías*... —(En esta ocasión la niña se alegró de que nadie la estuviera escuchando, porque sabía que había metido la pata)—. Lo mejor que puedo hacer es preguntar al llegar... ¿Por favor, señora, podría usted indicarme en qué país me encuentro? ¿Estoy en Australia o es esto por casualidad Nueva Zelanda? —(mientras hablaba, Alicia trataba de hacer una pequeña reverencia... ¡No es fácil hacer *una pequeña reverencia,* cuando uno va volando por los aires! ¡Y, si no, probadlo!)—. ¡Pero no, no le puedo hacer una pregunta tan estúpida, pues la señora pensará que soy una niña ignorante! Mejor será que no le pregunte nada y busque algún cartel que lo indique.

Y seguía cayendo, cayendo, cayendo y cayendo... Como no tenía otra cosa que hacer, la niña seguía de palique consigo misma:

—¡Ay, Dina! ¡Cuánto me vas a echar de menos esta noche! —(Dina era su gata)—. ¿Se acordarán de ponerle el platito de leche a la hora de la cena? ¡Mi querida Dina, ojalá estuvieras aquí conmigo, aunque me temo que no encontrarías muchos ratones volando por los aires! Pero podrías cazar algún murciélago, que, al fin y al cabo, se parece bastante al ratón... Me pregunto si comerán murciélagos los gatos... O quizá sea al revés, quizá sean los murciélagos los que se coman a los gatos.

Una dulce somnolencia se había apoderado de la niña, que no le impedía continuar su perorata, aunque de forma algo confusa.

—Murciélago, murciélago..., murcieratón..., ¡murciegatón!

¡Las palabras se comían unas a otras y daban vueltas y más vueltas en la cabeza de la pobre Alicia! Por fin, la niña se quedó profundamente dormida. Soñaba que paseaba con su gatita Dina y que le preguntaba, con toda seriedad, si alguna vez había comido un murciélago, cuando de pronto..., ¡cataplás!..., sintió que su cuerpo chocaba contra un montón de hojas secas.

Alicia pudo comprobar que no se había hecho daño, así es que se puso de pie de un salto y miró a su alrededor. Reinaba en torno a ella una profunda oscuridad, pero pudo distinguir un largo pasadizo, y, al fondo, la figura del Conejo Blanco, que se perdía en la distancia...

¡No había tiempo que perder! Alicia salió como una flecha tras él, y, antes de que el Conejo doblara la esquina, le oyó decir:

—¡Por mis barbas y mis bigotes, voto a tal! ¡Se me está haciendo tardísimo!

Alicia le seguía muy de cerca, pero, al doblar la esquina, el Conejo había desaparecido. La niña se encontró en un salón estrecho y largo, iluminado por una serie de lámparas que colgaban del techo.

Había varias puertas de acceso al salón, pero todas estaban cerradas. Alicia recorrió el salón de arriba a abajo, tratando de abrir las puertas, pero, al comprobar que no podía, se dirigió al centro de la habitación, pensando que estaba atrapada y que ya nunca podría salir de allí.

Fue entonces cuando descubrió una pequeña mesita de tres patas, toda de cristal. Sobre la mesa había solamente una diminuta llave dorada, y, en seguida, Alicia pensó que aquella llave abriría alguna de las puertas del salón... Pero, sea porque la llave era demasiado pequeña o la cerradura demasiado grande, la verdad es que la pobre Alicia no consiguió abrir ninguna de las puertas del salón. Sin embargo, al recorrerlas por segunda vez, descubrió una pequeña puerta escondida detrás de una cortina. La puerta no tendría más de quince pulgadas de altura, y, al meter la llave en la cerradura, Alicia comprobó con gran alegría que correspondía a aquella puerta.

Alicia abrió la puerta y vio que conducía a un agujero tan negro y estrecho, que parecía guarida de ratones. La niña se arrodilló y miró por el agujero, y, al otro lado, descubrió el jardín más hermoso que jamás pudiera soñar... ¡Ya se imaginaba lejos de aquel lúgubre salón, paseando entre jardines de hermosas flores, acompañada por el murmullo de cristalinas fuentes! Pero la triste realidad era que ni siquiera podía meter la cabeza por la puerta... «y, aunque consiguiera *meterla»*, pensaba la pobre Alicia..., «¿de qué me serviría una cabeza sin hombros? ¡Ojalá pudiera plegarme sobre mí misma, como si fuera un catalejo! ¡Incluso creo que podría hacerlo si supiera por donde empezar!» Tantas cosas extrañas le estaban ocurriendo a Alicia, que ya nada le parecía imposible.

No había razón para quedarse junto a aquella puerta tan pequeña, así que volvió junto a la mesa esperando encontrar en ella otra llave o, si no, un libro de fórmulas mágicas, que le enseñara a plegarse como un catalejo. Pero no encontró ni una cosa ni la otra, sino una pequeña botella («¡juraría que no estaba aquí antes!», pensó Alicia) con un rótulo que decía «BÉBEME», escrito en grandes letras.

¡Se decía muy pronto eso de «bébeme»! Pero Alicia, que

era una niña muy prudente, no estaba dispuesta a hacerlo así como así...

«Antes —se dijo— hay que ver si hay alguna contraindicación, algún letrero que diga "veneno", por ejemplo.»

Alicia había leído historias de niños que morían abrasados o devorados por bestias salvajes, y todo por no hacer caso al consejo de sus amigos, cosas tan simples como que un hierro candente te puede quemar la mano, si lo sostienes mucho tiempo, o que, si te cortas el dedo con un cuchillo, te acabará saliendo sangre... Del mismo modo, es muy probable que, si te bebes un frasco que pone "veneno", tarde o temprano te siente... ¡fatal!

Pero no había ningún rótulo en la botella que dijera "veneno", por lo que Alicia hizo de tripas corazón y se lo llevó a la boca para probarlo. Tenía un gusto muy agradable (sabía un poco a tarta de fresa, y otro poco... a flan, a piña, a pavo relleno, caramelo y tostadas con mantequilla), así que no tardó mucho en beberse el frasco entero.

* * *

—¡Qué sensación más extraña! —exclamó Alicia—. ¡Siento como si me plegara como un catalejo!

¡Y eso era en realidad lo que estaba ocurriendo! La niña se había encogido y ahora medía sólo ¡diez pulgadas! Su rostro se iluminó de alegría, al darse cuenta de que, al fin, tenía el tamaño justo para pasar por la puerta que conducía a aquel maravilloso jardín. Antes, sin embargo, esperó unos instantes para ver si seguía menguando de tamaño, porque aún no las tenía todas consigo.

«¿Qué pasaría —se dijo—, si me esfumo del todo como una vela cuando se termina la cera?»

Y trataba de imaginarse cómo sería una llama solitaria sin la vela que la alimentara, pero la verdad es que nunca había visto nada parecido.

Al ver que ya no menguaba de tamaño, decidió salir al jardín, y se dirigía hacia la puerta; cuando..., ¡pobre Alicia!..., se dio cuenta de que había olvidado la llave dorada encima de la mesa. Volvió a buscarla, pero se percató de que la llave ahora estaba fuera de su alcance. Podía verla claramente por el cristal de la mesa e incluso intentó alcanzarla encaramándose por una pata de la mesa... ¡Pero fue inútil! ¡Estaba demasiado resbaladiza! Cansada de tanto esfuerzo, se sentó en el suelo y comenzó a llorar a pierna suelta.

—¿A qué vienen esos llantos? ¡Ya te estás callando ahora mismito!

Alicia solía darse muy buenos consejos..., ¡que luego no seguía! A veces se regañaba con tanta dureza, que acababan saltándosele las lágrimas... En una ocasión, hasta se dio unos cachetes en las orejas por haberse hecho trampa en una partida de croquet, que jugaba contra ella misma... ¡Alicia jugaba a menudo a ser dos personas distintas! «De nada me serviría ahora el juego —pensó la pobre Alicia— de ser dos personas distintas... ¡Bastante trabajo tengo con ser *una!*»

Al poco rato sus ojos se fijaron en una cajita pequeña, debajo de la mesa. La abrió, y dentro había un pastel, en el que estaba escrito, con ricas pasas de Corinto, la palabra «CÓMEME».

—Bueno, pues me lo comeré —dijo Alicia—. Si crezco, puedo alcanzar la llave, y, si menguo aún más de lo que he menguado, puedo deslizarme por debajo de la puerta... ¡En ningún caso tengo nada que perder!

Tomó un pequeño bocado de pastelillo y se preguntó con ansiedad:

—¿Voy para arriba o para abajo?

Se había colocado la mano en la cabeza para saber si crecía o si, por el contrario, menguaba. Se quedó extrañada al comprobar que no variaba de tamaño... ¡Uno no suele variar, cuando se come un trozo de pastel, pero Alicia estaba tan acostumbrada a que le ocurrieran cosas extrañas, que se sentía defraudada cuando las cosas ocurrían como siempre!

De todas maneras, Alicia le hincó el diente al pastelillo y en poco tiempo dio buena cuenta de él.

CAPÍTULO II

El Mar de Lágrimas

—¡Caracolis! —exclamó Alicia, tan sorprendida que, por un momento, se le olvidó hablar correctamente—. ¡Ahora me estiro y me estiro como si fuera el catalejo más grande del mundo!

Y, efectivamente, al bajar la vista hacia sus pies, vio que éstos se perdían en la lejanía.

—¡Pobres pies míos! ¿Quién os va a cuidar de ahora en adelante? ¿Quién se encargará de poneros vuestras medias y vuestros zapatos? ¡Porque estoy segura de que yo ya no podré hacerlo! ¡Estaré demasiado lejos para atender vuestras necesidades! ¡Tendréis que arreglároslas como podáis! De todas formas, me tendré que portar bien con ellos —reflexionó Alicia—, porque, si no..., ¡son capaces de no obedecerme! ¿Qué pasaría si echaran a andar por su cuenta? Veamos qué puedo hacer para que estén contentos... ¡Ya está! ¡Les mandaré un par de botas, como regalo de Navidad!

Y siguió pensando en la mejor manera de hacerlo.

—¡Tendré que envíarselas por recadero! ¡Tiene que ser muy divertido eso de enviar regalos a los pies de uno mismo! ¡Y qué extraño va a ser cuando el recadero me pregunte por las señas y yo le diga!:

Señor Don:
Pie derecho de Alicia

Dirección:

Alfombra de la Chimenea
(Cerca del Guardafuegos)

Remite:

Alicia, con amor.

—¡Dios mío! ¡Qué disparates estoy diciendo!

En aquel momento su cabeza golpeó contra el techo del salón; es que la niña medía ya más de tres metros de altura. Inmediatamente, recogió la llave dorada y se dirigió a la puerta que conducía al jardín.

¡Pobre Alicia! Ahora apenas podía ver el jardín, tumbada de costado en el suelo, mirando con un ojo por el agujero... ¡Si antes era difícil salir del jardín, ahora es sencillamente imposible! Se sentó en el suelo y empezó a llorar de nuevo.

—¡Alicia, deberías estar avergonzada! —se reprendió—. ¡Una chica tan grande como tú... (¡nunca mejor dicho!) y llorando así! ¡Ni una lágrima más! ¡Te lo prohíbo!

Pero de nada le servían estas razones, porque sus ojos seguían vertiendo lágrimas y más lágrimas, torrentes de lágrimas, que descendían de sus ojos en catarata hasta formar un verdadero mar de lágrimas a sus pies. Tenía hasta cuatro pulgadas de profundidad y se extendía hasta los confines del salón.

Al cabo de un rato oyó un ruido de pasitos que se acercaban, y se apresuró a enjugarse los ojos para ver quién era. Era el Conejo Blanco, que regresaba. Iba vestido de tiros largos y llevaba un par de guantes de cabritilla en una mano y un gran abanico en la otra. Andaba deprisa, mientras murmuraba para sí:

—¡Ay la duquesa, la señora duquesa! ¡Cómo se va a poner, si la hago esperar!

Tan apurada estaba Alicia, que era capaz de pedir ayuda al primero que pasara. Así que, en cuanto el Conejo

Blanco llegó cerca de donde estaba ella, Alicia se dirigió a él con voz tímida y entrecortada:

—Dispense, caballero..., ¿podría usted...?

El Conejo se sobresaltó de tal manera, que dejó caer los guantes blancos de cabritilla y el abanico, y salió corriendo hasta perderse en la oscuridad.

Alicia recogió los guantes y el abanico que se le había caído al Conejo, y, como hacía tanto calor en aquel salón, comenzó a abanicarse.

«¡Vaya día que estoy pasando! —se decía la niña—. ¡Y pensar que hasta ayer todo sucedía como de costumbre...! ¿Será que he cambiado por la noche? Vamos a ver, ¿era yo la misma cuando me levanté esta mañana? Ahora que lo pienso, recuerdo que ya sentía algo extraño, como si fuera alguien diferente... Pero, si yo ya no soy yo, entonces ¿quién demonios soy? ¡Ahí está el intríngulis!»

Y se puso a pensar en los amigos de su edad, para ver si podía haberse convertido en uno de ellos.

—Seguro que no soy Ada —razonaba Alicia—, porque tiene grandes tirabuzones y el mi pelo es más bien lacio... Tampoco puedo ser Mabel, porque yo sé muchas cosas y ella, ¡pobre!, sabe muy pocas. Y además ella *es ella y yo soy yo, y*... ¡en buen lío me estoy metiendo! Vamos a ver si recuerdo las cosas que antes sabía... Empecemos: cuatro por cinco, doce; cuatro por seis, trece; cuatro por siete... ¡A este paso nunca llego a veinte! Pero, en fin, la tabla de multiplicar no significa nada... Veamos cómo ando en otras materias... En Geografía, por ejemplo: Londres, capital Paris; París, capital Roma; Roma, capital... ¡No es así, no es así, sé que no es así! ¡Me he debido convertir en Mabel! Supongo que al menos seré capaz de recitar la fábula de *Las Moscas*...

Y, cruzando las manos sobre el regazo, se dispuso a recitar el poema que tan bien conocía... Pero las palabras que salían de su boca no eran las del poema, desde el mismo instante en que, con una voz ronca y profunda, anunció el título: *Los Elefantes.*

A un panal de rica miel...
¡elefantes acudieron!,
y por voraces murieron
¡presas sus trompas en él!
Otro dentro de un pastel
¡comía como una lima!
Y así, si bien se examina,
¡elefantes gordinflones
perecen en las prisiones
del hambre que los domina!

—¡No es así el poema, no son esas palabras! —se lamentaba la pobre Alicia, mientras derramaba lagrimones por sus mejillas—. Creo que me he convertido en Mabel... ¡Y lo peor está en que tendré que ir a vivir a la casucha donde ella vive y conformarme con los cuatro trastos que tiene por juguetes! ¡Y además tendré que aprender montañas de lecciones! ¡No, lo he decidido! ¡Si de verdad soy Mabel, prefiero quedarme a vivir aquí! Y no pienso hacer caso de las palabras de los mayores, cuando se asomen al agujero y me digan: «¡Vamos, querida, sube, te estamos esperando!». Yo les miraré desde abajo, y les diré: «Decidme antes quién soy, y, si me gusta la persona..., entonces subiré! ¡Si no me gusta, pues me quedaré aquí y esperaré a convertirme en otra persona!» Pero..., ¡Dios mío! —se interrumpió Alicia con la voz entrecortada por los sollozos—, ¿es que nadie va a asomarse nunca por ese agujero? ¡Estoy cansada de estar aquí abajo tan sola!

Mientras pronunciaba estas palabras bajó la vista y se sorprendió al ver que, sin que ella se diera cuenta, se había puesto en la mano uno de los guantes de cabritilla del Conejo Blanco.

«¡Eso es *imposible!* —se dijo—, ¡a no ser que esté menguando de nuevo!»

Se levantó y se dirigió a la mesa para medirse por el rasero, y pudo comprobar que medía unos dos pies, poco más o menos... ¡Y lo peor es que seguía menguando! Entonces se dio cuenta de que el abanico que sostenía en la mano producía el cambio, así que lo dejó caer a toda prisa... ¡Y menos mal que lo hizo, porque, si no, Alicia habría desaparecido sin dejar rastro!

—¡Me he salvado *por los pelos!* —exclamó Alicia asustada por el tamaño de su cuerpo, pero aliviada, porque, al fin y al cabo, todavía lo conservaba—. Y ahora... ¡al jardín!

Y corrió a la puerta. Pero, ¡ay!, la puerta estaba de nuevo cerrada y la llave dorada seguía en la mesa de cristal...

—¡Las cosas están peor que nunca! —se lamentó la pobre niña—. ¡Nunca había sido tan pequeña como ahora, y eso no puede conducir a nada bueno!

No bien pronunció estas palabras, sintió que perdía pie y..., ¡plas!, su cuerpo se sumergió en una corriente de agua que le llegaba hasta el cuello. Al principio creyó que se había caído al mar... «¡Entonces podré volver en tren!», se dijo. (Resulta que Alicia había ido al mar una vez en su vida, y había llegado a la peregrina conclusión de que en una playa cualquiera de Inglaterra, además de las casetas de baño, los niños jugando con los cubos en la arena, las pensiones y hoteles que la bordean, ¡tenía que haber siempre una estación de ferrocarril!). Pero pronto se dio cuenta de que no se trataba del mar propiamente dicho, sino de un Mar de Lágrimas, que ella misma había vertido cuando medía más de nueve pies de altura.

—¡Ojalá no hubiera llorado tanto! —se lamentaba ahora la niña, braceando en el mar de sus propias lágrimas e intentando salir de allí—. ¡Me está bien empleado por ser tan llorica! ¡Nunca pensé que eso de estar hecha un mar de lágrimas *pudiera* ser verdad! ¡Y menos lo de ahogarse en su propio llanto! ¡Pero resulta que hoy es verdad todo lo que ayer era mentira!

En ese momento oyó que alguien chapoteaba cerca de donde ella se encontraba, y decidió nadar hacia allí para ver quién era. Por el ruido que metía le pareció a Alicia que debía ser una foca, un hipopótamo o algo parecido, hasta que cayó en la cuenta de que el ruido era grande..., ¡sólo para ella, que era tan pequeña! Resultó ser un ratón, que se había caído al agua tal como le había ocurrido a ella.

«¿Y si probara —pensó Alicia— a hablar con ese ratón? ¡Todo es tan sorprendente aquí, que no me extrañaría nada que los ratones hablasen. ¡No se pierde nada con probar!»

Y, dirigiéndose al ratón, continuó de esta manera:

—¿Podría usted indicarme, ¡oh ratón!, la manera de salir de este lugar? ¡Oh ratón! ¡Estoy cansada de nadar y necesito su ayuda! (Alicia no tenía la menor idea de cuál era la manera correcta de dirigirse a un ratón, pero había leído el libro de Latín de su hermano, y recordaba una de las declinaciones que decía: «El ratón, del ratón, para el ratón, y, también..., ¡oh ratón!»).

El ratón miraba a la niña con ojos inquisitivos, y en un determinado momento le pareció a Alicia que le guiñaba un ojo..., ¡pero no dijo nada!

«Quizá no habla inglés —pensó Alicia—. No me extrañaría nada que fuera un ratón francés, llegado a Inglaterra en la expedición de Guillermo el Conquistador.»

(A pesar de sus conocimientos de Historia, Alicia no tenía una idea muy clara del tiempo que había transcurrido desde que Guillermo el Conquistador llegara a las costas de Gran Bretaña...).

Así que le espetó al ratón la primera frase que había aprendido en su libro de francés.

—*Où est ma chatte? [¿Dónde está mi gato?]*

Al oír esas palabras, el ratón pegó un salto fuera del agua, mientras que todo el cuerpo le temblaba como a un azogado.

—¡Oh! ¡Le pido mil veces perdón! —exclamó la niña temiendo haber herido los sentimientos del pobre animal—. ¡Me había olvidado por completo de que no se llevan muy bien con los gatos!

—¡Cómo demonios quieres que me lleve bien con los gatos! —gritó el Ratón, con voz chillona y agresiva—. ¿Acaso te llevarías tú bien con ellos, si fueras ratón?

—Supongo que no muy bien —admitió Alicia, deseosa de apaciguar a su amigo—. Espero que no se haya molestado por lo que le he dicho... Aunque pienso que, si conociera a nuestra gata Dina, no tendría tan mala opinión de ellos... ¡Es un animal tan cariñoso y tiene tan buenos modales! —decía Alicia, hablando para sí más que para el Ratón, mientras nadaba plácidamente en las aguas del Mar de Lágrimas—. Se pasa el día sentada junto a la chimenea ronroneando tranquilamente, mientras se lava la cara con las patitas. ¡Y es tan suave y blanda, cuando la cojo entre mis brazos! ¿Y sabe cuál es su deporte favorito? ¡Cazar rato..., ay, perdone, perdone! —exclamó Alicia de nuevo, al ver que al Ratón se le habían vuelto a poner los pelos de punta—. ¡Qué torpe soy! ¡Espero que no se ofenda! ¡Le prometo que no volveremos a tocar ese tema!

—¡Volveremos! ¿Has dicho volveremos? —exclamó indignado el Ratón, temblando desde la guía de sus bigotes hasta la punta del rabo—. ¡Como si fuera yo el que sacara el tema a colación! ¡Has de saber que en mi familia se ha sentido siempre una profunda aversión a los gatos, esas criaturas repelentes, vulgares y groseras! ¡Así es que no quiero volver a oír su nombre!

—¡Le juro que nunca más lo volveré a pronunciar! —le aseguró Alicia, que tenía muchas ganas de cambiar de tema—. ¿Y qué le parecen los perros? —. Al ver que el Ratón no respondía, prosiguió—: Hay un perro delicioso, que vive cerca de mi casa... ¡Me gustaría que le conociera! ¡Es un foxterrier de ojos vivarachos y pelo largo y rizado, un animal precioso! ¡Y, encima, más listo que el hambre! ¡Le tiras una cosa y te la devuelve, se pone a dos patitas para pedir la cena y conoce un sinfín de trucos que ahora mismo no recuerdo! Su amo, el granjero, dice que es un perro que sirve para todo y que no lo vendería ni por cien libras... ¡Con decirle que no ha dejado una rata viva en todo el...! ¡Ay, Dios mío! —exclamó Alicia en tono lastimero—. ¡Me temo que he vuelto a meter la pata!

El Ratón, al oír las últimas palabras de Alicia, había salido disparado y se alejaba a toda velocidad, agitando las aguas con su desenfrenado chapoteo.

—¡Ratón, querido señor Ratón —le llamó Alicia de nuevo—, hágame el favor de volver, y le prometo que aquí no se vuelve a hablar de perros, ni de gatos ni de nada que se le parezca!

El Ratón, al oír las palabras de Alicia, vaciló unos instantes, y después, dando media vuelta, regresó donde se encontraba la niña. Estaba pálido (de rabia, pensó Alicia), y dijo en voz baja y temblorosa:

—Vamos nadando hacia la orilla, y allí te contaré la historia de mi vida, y así entenderás por qué le tengo tanto odio a los perros y a los gatos.

Y era hora de salir de allí, porque aquel pequeño Mar de Lágrimas se había ido llenando de animales del más variado plumaje y pelaje. Había un Pato, y, junto a él, un Dodo y un Loro y un Aguilucho. Iban acompañados de una serie de criaturas de las más diversa clase y condición. Alicia se puso en cabeza de tan heterogéneo grupo, y juntos alcanzaron la orilla.

CAPÍTULO III

Una carrera que trae cola

Los animales que se habían ido reuniendo en la orilla ofrecían un aspecto bastante deplorable... Los de pelo tenían la piel pegada al cuerpo, escurrida por el agua, y los de pluma tenían el plumaje apelmazado. Todos estaban empapados hasta los huesos y con cara de pocos amigos.

El primer problema que tenían que resolver era cómo secarse lo más deprisa posible. Celebraron una breve reunión sobre el particular y no tardó mucho Alicia en tratarlos como si los conociera de toda la vida. Tanto es así que incluso tuvo una acalorada discusión con el Loro, que acabó enfadándose y diciéndole a Alicia que... «al fin y al cabo soy más viejo que tú y sé más cosas que tú». Alicia no estaba dispuesta a ceder, entre otras cosas porque no conocía la edad del Loro, y, como el Loro no estaba [illegible] puesto a confesársela, pues la discusión terminó en [illegible]to muerto.

Por fin el Ratón, que parecía la persona de m[illegible] [illegible]

—¡Sentaos todos y escuchadme! ¡Ya veréis que [illegible] *os dejo* secos!

La asamblea le obedeció y se sentaron todos, formando un círculo a su alrededor. Alicia no le quitaba la vista de encima, pensando que, si no decidía pronto cómo secarse, cogería un resfriado de mucho cuidado.

—¡Ejem! —comenzó el Ratón, dándose aires de importancia—. ¡Atención! ¿No queríais secaros? ¡Pues vais a oír la historia más seca que jamás hayáis oído! ¡Silencio, por favor! Debéis saber que Guillermo el Conquistador, cuya causa respaldaba el Papa, como es notorio, fue aceptado por el pueblo inglés, deseoso de encontrar un caudillo, acostumbrado como estaba a las conquistas, a los saqueos y al pillaje... Ahora bien, Edwin y Morcar, a la sazón condes de los condados de Mercia y Northumbria...

—¡Uf! —exclamó el Loro, removiéndose en su asiento.

—¡Usted perdone! —dijo el Ratón frunciendo el entrecejo, pero en un tono muy correcto—. ¿Decía usted algo?

—¿Yo? No, nada, nada... —se excusó el Loro.

—Pues me pareció oírle —insistió el Ratón—. Prosigo. Edwin y Morcar, que, tal como decía, eran a la sazón condes de Mercia y Northumbria, se pusieron de su parte. Incluso Stigand, arzobispo de la sede de Canterbury, honra y prez de patriotas, en aquellas circunstancias lo encontró oportuno...

—*¿Qué* es lo que encontró el obispo de Canterbury? —le interrumpió el Pato.

—*¡Lo!* —exclamó, irritado, el Ratón—. ¡Supongo que sabrás lo que significa «lo»!

¡Cuando yo encuentro una cosa sé muy bien lo que es! —dijo el Pato—. Suele ser una rana, un gusano... ¡Pero no tengo la menor idea de lo que encontró el arzobispo!

El Ratón pasó por alto la observación del Pato y se apresuró a continuar con su relato:

—...*lo* encontró oportuno y se dirigió, junto con Edgar Atheling, al encuentro de Guillermo, para ofrecerle la corona de Inglaterra. Pero, una vez más, la insolencia de los normandos... Por cierto, querida, ¿qué tal te encuentras ahora? —añadió de repente, dirigiéndose a Alicia.

—¡Más mojada que nunca! —protestó Alicia, en tono melancólico—. ¡Esta historia no me ha secado nada!

—En ese caso —intervino el Dodo, alzándose solemnemente—, propongo que se suspenda la sesión para que se adopten medidas de carácter más drástico.

—¡No entiendo ni una palabra de lo que dice! —protestó el Aguilucho—. ¡No entiendo el significado de sus palabras y sospecho que usted tampoco!

Al pronunciar las últimas palabras, el Aguilucho inclinó la cabeza para ocultar una sonrisa, y algunos pájaros dejaron escapar risitas mal contenidas.

—Sólo pretendía decir —dijo el Dodo ofendido— que la mejor forma de secarse es organizar una carrera electoral.

—¿Qué es una carrera electoral? —preguntó Alicia, al ver que el Dodo se había quedado callado, esperando que alguien le hiciera aquella pregunta que *nadie* le hacía.

—Bueno —dijo el Dodo—, ¡es más fácil de hacer que de decir!

(Y, como me imagino que a alguno de vosotros os gustaría aprender cómo se hace, sobre todo si alguna tarde de invierno estáis aburridos, os explicaré cómo lo hizo el Dodo).

En primer lugar, trazó el recorrido de la carrera en forma de círculo («aunque —como dijo— la forma del circuito es lo de menos»), y, a continuación, situó a todos los participantes a lo largo de todo el recorrido. Nadie dio la orden de salida (eso de... «a la una, a las dos y a las tres, ¡ya!»), sino que cada uno empezó a correr a su aire y se retiró cuando le vino en gana, así que era bastante difícil saber cuándo se acababa la carrera. Después de una media hora de carrera, cuando ya todos se hablan secado, el Dodo dio la orden de llegada: «¡Fin de la prueba!»

Los participantes, aún resoplando, se congregaron en torno al Dodo para preguntarle:

—Pero ¿quién ha ganado?

Cuestión peliaguda, que el Dodo no supo contestar sin haberse entregado unos momentos a la reflexión. Adoptando la postura de Shakespeare, con un dedo apoyado en la frente, tal como aparece en los grabados, el Dodo se entregó a profundas cavilaciones mientras el resto de los animales aguardaban expectantes. Por fin el Dodo sentenció:

—*Todo el mundo* ha ganado y por tanto *todos* deben recibir premios.

—Pero entonces, ¿quién dará los premios? —preguntaron a coro los demás animales.

—*Ella,* naturalmente —dijo el Dodo, y señaló a Alicia.

Todos los animales se dirigieron hacia ella, y, apretujándose a su alrededor, gritaban:

—¡Premios! ¡Queremos premios!

La pobre Alicia no tenía ni la más mínima idea de lo que se podía hacer en esa situación. Metió, apuradamente, la mano en el bolsillo y se encontró con una caja de confites (que el agua del mar parecía no haber estropeado) y los repartió entre los participantes, como si fueran premios. Afortunadamente había uno para cada uno.

—¡Pero ella se ha quedado sin premio! —protestó el Ratón.

—Hay que darle un premio a Alicia —dijo el Dodo solemnemente—. Vamos a ver, ¿qué más tienes en los bolsillos?

—Sólo tengo un dedal —dijo la niña con tristeza.

—Pues dámelo a mí —dijo el Dodo.

Los animales se apretujaron de nuevo a su alrededor, mientras el Dodo se dirigía a ella y le decía:

—Os suplicamos, distinguida amiga, que aceptéis este elegante dedal que os ofrecemos.

Al terminar esta breve alocución, todos los animales la vitorearon con entusiasmo.

A Alicia todo aquello le resultaba completamente absurdo, pero los animales parecían tomárselo tan a pecho, que Alicia no se atrevía ni a sonreír. Tomó en la mano el dedal que le ofrecía el Dodo y procuró mantener la compostura.

Llegó la hora de comerse los confites, lo cual dio lugar a bastante ruido y una cierta confusión. Resulta que los pájaros grandes se quejaban de que los confites, como eran tan pequeños, no les sabían a nada, mientras que, para los pájaros pequeños, los confites eran tan grandes, que se atragantaban al tragarlos, y había que darles alguna palmadita en la espalda. Por fin se acabó el convite y se sentaron todos de nuevo, formando un círculo, y le pidieron al Ratón que contara alguna historia.

—Prometiste que me contarías tu historia —le recordó Alicia—, y por qué odias a los P... y a los G... —añadió en voz baja, porque tenía miedo de herir de nuevo sus sentimientos.

—¡La historia de mi vida es larga y triste! —suspiró el Ratón, volviéndose hacia Alicia—, y además... ¡trae cola!

—¡Que la historia de tu vida traiga cola, no hay más que verlo —dijo Alicia, mientras contemplaba el largo rabo del Ratón—, pero no entiendo por qué ha de ser triste!

Y así, mientras escuchaba las palabras del Ratón, fue dando forma en su imaginación a aquella historia, que, claro está, traía mucha cola:

Un perrazo cierto día
en un oscuro rincón
de su casa halló
un ratón mientras
el suelo barría:
Viendo el momento
propicio para darle
el pasaporte:
—¡Esto no hay
quien lo soporte!
—le dijo—.
¡Vamos a juicio!
—Pero…
—¡No hay
pero ni pera!
Un juicio
hemos
de tener:
no tengo
nada que
hacer,
así que
vamos
afuera.
—¿Y para
qué ir a la
Audiencia?
—dijo el Ratón
aterrado—.
No habiendo
juez ni jurado,
no habrá
quien
dicte
sentencia.
—Esto lo
arreglo
yo al punto.
¡Yo soy el juez,
el jurado,
el fiscal y
el abogado,
y te condeno
a difunto.

—¡No me estás haciendo caso! —le dijo el Ratón a Alicia mohíno—. ¿En qué estabas pensando?

—¡Le ruego que me disculpe! —dijo Alicia humildemente—. Iba usted por la quinta revuelta, si no me equivoco...

—¡Lo *dudo!* —exclamó el Ratón muy contrariado.

—¿Un *nudo?* ¿Y dónde tiene usted ese nudo? —le preguntó la niña en tono servicial, mientras buscaba a su alrededor—. ¡Permítame que le ayude a desenredarlo!

—¡No te permito nada! —exclamó el Ratón mientras se alejaba de los allí reunidos—. ¡Qué impertinencia! ¡Estoy harto de oír sandeces!

—¡No pretendía ofenderle! —se disculpó la pobre Alicia—. ¡Se ofende por nada!

El Ratón dio un gruñido por toda respuesta.

—¡Por favor, vuelva y termine de contarnos su historia!

Pero el Ratón sacudió la cabeza y apretó el paso.

—¡Es una lástima que no se quedara! —exclamó el Loro, al perderlo de vista.

Y una vieja Cangreja aprovechó la oportunidad para decirle a su hija:

—¡Ay, hijita! ¡Ya ves lo que pasa cuando *alguien* pierde la paciencia! ¡Espero que te sirva de lección!

—¡Cierre el pico, madre! —le contestó la joven Cangreja bruscamente—. ¡Usted es capaz de hacerles perder la paciencia a las mismísimas ostras!

—¡Ojalá estuviera aquí mi pequeña Dina! —exclamó Alicia—. ¡Seguro que ella lo traía de vuelta!

—¿Y quién es Dina, si puede saberse?

Alicia siempre estaba dispuesta a hablar de su animal favorito, así que contestó alegremente:

—¡Dina es mi gata! ¡Y a la hora de cazar ratones no se le escapa uno! ¡Y no piensen que se para ahí! ¡Le encanta perseguir a los pájaros! ¡Y se come uno en menos que canta un gallo!

Las palabras de Alicia causaron un notable desconcierto entre la concurrencia. Algunas aves se marcharon enseguida. Una vieja Urraca comenzó a arroparse mientras murmuraba:

—Tengo que irme a casa... ¡El relente de la noche no me sienta nada bien!

Y un Canario llamaba a sus hijitos con voz temblorosa:

—¡Vamos, niños, vamos! ¡Ya es hora de que estéis en la cama!

Cada uno buscaba un pretexto, pero se marcharon todos, dejando a la pobre Alicia de nuevo sola.

(«¡Ojalá no hubiera hablado de Dina! —se dijo con voz melancólica—. ¡Dina, querida Dina! ¡Me parece que no eres muy popular aquí abajo! ¡Y, sin embargo, yo sé que eres la mejor gata del mundo! ¿Cuándo te volveré a ver?»)

Y, al llegar a este punto, Alicia empezó a sollozar de nuevo, pues se sentía sola y desgraciada. Al poco rato volvió a oírse un rumor de menudos pasos a lo lejos, y pensó que el Ratón quizá había cambiado de opinión y volvía para acabar su historia.

CAPÍTULO IV

El Conejo manda un «billete»

Era el Conejo Blanco, que regresaba con un trotecillo cansino, mirando alrededor como si hubiera perdido algo, a la vez que murmuraba para sí:

—¡La Duquesa! ¡Ay, mi señora la Duquesa! ¡Ay, mis patitas, mi bigotito, y, ay, mi pobre pellejo! ¡Seguro que me manda degollar, tan seguro como que los hurones son... son... hurones! Pero..., ¿dónde se me pueden haber caído?

Alicia adivinó que el Conejo Blanco estaba buscando su abanico y sus guantes de cabritilla, por lo que la niña, con la mejor disposición, se puso a buscarlos, pero no aparecían por ninguna parte... Y, además, todo parecía haber cambiado desde que se cayera en el Mar de Lágrimas, y el gran salón, con la portezuela y la mesita de cristal, había desaparecido.

El Conejo no tardó en darse cuenta de la presencia de Alicia, que se afanaba a la bísqueda de los objetos perdidos, y, nada más verla, puso el grito en el cielo.

—¡Mariana! ¿Puede saberse qué haces tú aquí? ¡Ya te estás yendo a casa ahora mismo! ¡Y de paso me traes un par de guantes y un abanico! ¡Venga, andando!

Alicia estaba tan asustada, que echó a correr en la dirección que le indicaba el Conejo, sin detenerse a explicarle su error.

(«¡Me ha confundido con su doncella! —pensaba Alicia mientras corría—. ¡Menudo susto se va a llevar cuando vea quién soy!»

En ese momento Alicia llegó ante una casa con un letrero en la puerta, grabado con letras de bronce, que decía: CONEJO BLANCO. Entró sin llamar y subió escaleras arriba. Tenía miedo de encontrarse con la verdadera Mariana y que ésta la echara de casa antes de encontrar los guantes y el abanico.

«¡Hay que ver lo que es la vida! —se decía Alicia—. ¡Hacer recados para un conejo! ¡A este paso mi gata Dina será la que ordene y mande!»

Y la niña comenzó a imaginarse lo que ocurriría en tal caso.

«"¡Señorita Alicia! —diría la institutriz—. ¡Prepárese para dar un paseo!" Y yo le contestaría: "¡Por favor, espere un momento! ¡Dina me ha encargado que le vigile este agujero por si se escapa algún ratón!"—. Aunque pensándolo bien —se decía la niña—, no creo que Dina durara mucho en casa, si se pusiera a dar órdenes a todo el mundo…»

Y, mientras tanto, Alicia había entrado en una pequeña habitación muy limpia, con una mesita junto a la ventana, y allí, como había imaginado, había un abanico y dos o tres pares de guantes. Cogió el abanico y un par de guantes, e iba a salir de la habitación, cuando su vista tropezó con un pequeño frasco que había junto al espejo. En esta ocasión no había ningún letrero que dijera "BÉBEME", pero la niña lo destapó y se lo llevó a los labios.

«¡Siempre que bebo o como alguna cosa me pasa algo sorprendente! —se dijo la niña—. ¡Vamos a ver lo que me ocurre ahora! ¡Espero que este líquido que estoy tomando me haga crecer, porque estoy un poco harta de ser tan pequeñita!»

¡Vaya si creció, y mucho antes de lo que esperaba! ¡Creció de tal manera, que no había apurado medio frasco y ya su cabeza golpeaba en el techo de la habitación! ¡La pobre Alicia tuvo que inclinar la cabeza para no partirse la crisma! Se apresuró a dejar el frasco en el suelo, diciendo para sí: «¡Me parece que ya he crecido bastante! ¡Espero no seguir creciendo, porque, a este paso, no podré salir por la puerta! ¡Ojalá no hubiera bebido tanto!»

¡Pero era demasiado tarde para los buenos deseos! ¡La niña seguía creciendo y creciendo hasta que tuvo que ponerse de rodillas para caber en la habitación! ¡Y llegó el momento en que ni así cabía, y la pobre Alicia tuvo que tumbarse en el suelo, apoyando el codo contra la puerta y descansando la cabeza sobre el otro brazo! ¡Y aún seguía creciendo! Como último recurso, sacó un brazo por la ventana y metió un pie por la chimenea.

«¡Hasta aquí hemos llegado! —pensó Alicia—. Y ahora... ¿qué va a ser de mí?»

Afortunadamente para Alicia, el líquido mágico del frasco ya había surtido todo su efecto, y la niña dejó de crecer... Pero se sentía muy desgraciada, metida en una habitación tan pequeña, en una postura muy incómoda y sin posibilidades de salir de allí.

«¡Se estaba mejor en casa —pensó la pobre Alicia—; al menos no me pasaba el día creciendo y menguando! ¡Y no tenía que aguantar ni a ratones ni a conejos, mandándome de aquí para allá! ¡Ojalá no me hubiera metido por aquella madriguera para perseguir al Conejo! Y, sin embargo...., ¡esta vida también tiene su encanto! ¡Me gustaría saber lo que me pasa! ¡Porque lo que me está pasando sólo sucede en los cuentos de hadas! ¿Y no será esto un cuento? ¡El cuento de Alicia! ¡Alguien debería escribirlo! ¡Cuando crezca, yo misma escribiré un cuento..., bueno, en realidad ya he crecido! —añadió, mirándose—. ¡Mientras esté *aquí,* no puedo ser mayor de lo que soy!».

«Eso quiere decir —continuó reflexionando Alicia—... que nunca dejaré de ser la niña que soy ahora. Tiene sus ventajas..., ¡no seré nunca vieja! Pero también, inconvenientes, ¡siempre estaré aprendiendo lecciones, y eso no me gusta nada!»

«Pero, Alicia..., ¿quieres dejar de decir estupideces? —se reprendió—. ¿Cómo quieres aprender lecciones en este cuchitril, donde no cabe un libro ni hay sitio para ti?»

Y continuó hablándose, defendiendo y refutando sus argumentos, como si estuviera sosteniendo una agradable conversación con ella... Y así habría continuado, pero oyó una voz que venía de fuera, y se detuvo a escuchar.

—¡Mariana, Mariana! —decía la voz—. ¡Tráeme esos guantes ahora mismo!

A continuación se oyó el ruido de menudas pisadas que ascendían por la escalera. Alicia sabía muy bien que era el Conejo Blanco, que venía a buscarla, y comenzó a temblar de tal manera, que sacudía toda la casa... Sin duda, la niña había olvidado que era ahora mil veces más grande que el Conejo Blanco y que no tenía por qué tenerle miedo.

El Conejo llegó a la puerta de la habitación e intentó abrirla... No lo consiguió, porque Alicia la tenía atrancada con el codo.

—¡Pues entraré por la ventana! —oyó que decía el Conejo.

«¡Eso ni lo pienses!», se dijo Alicia.

Y aguardó a que el Conejo se situara bajo su ventana. Entonces sacó la mano por la ventana y palmoteó en el aire a ver lo que cogía... No cogió nada, pero oyó un chillido de terror, y, a continuación, el estrépito de unos cristales rotos.

«¡El Conejo se ha debido caer en un invernadero o algo similar!»

A continuación Alicia oyó la voz, muy airada, del Conejo, que decía:

—¡Pat! ¡Pat! ¿Dónde demonios te has metido?

Y luego una voz que no había oído antes:

—¡Estoy aquí, señoría! Pescando unas manzanas para su señoría.

—¡Conque pescando manzanas!, ¿eh? —se oyó de nuevo la voz airada del Conejo—. Pues ven a sacarme de *aquí. (Más ruido de cristales rotos).*

—Pat, ven y dime, ¿qué ves asomando por esa ventana?

—Pues verá, señoría... Yo diría que es un brazo (pronunciaba «braso»).

—¡Un brazo, animal! ¿Cuándo has visto tú un brazo de ese tamaño? ¡Si es más grande que la ventana!

—Tan grande como su señoría quiera... ¡Pero eso que asoma por allí es un brazo!

—¡Pues será un brazo, pero nadie le ha mandado que esté allí! ¡Sácalo ahora mismo!

Hubo un largo silencio interrumpido sólo por un cuchicheo de voces.

—¡No me gusta nada este asunto, señoría..., pero que *na* de *na!*

—¡Cobarde, haz lo que te mando ahora mismo!

Por fin, la niña decidió extender de nuevo el brazo y palmotear en el aire... En esta ocasión se oyeron dos chillidos seguidos del ruido de cristales rotos.

«¡No debe quedar un cristal sano en el invernadero! —pensó Alicia—. ¡Vamos a ver lo que se les ocurre ahora! Si quieren sacarme por la ventana..., *¡qué más me gustaría a mí!* ¡Con lo aburrida que estoy aquí!»

Durante un buen rato no se oyó nada. Al fin pudo escuchar el ruido de carretillas que se acercaban, y luego el rumor de muchas voces que hablaban todas a la vez:

—¿Dónde está la otra escalera?

—A mí me han mandado a por una, señoría..., ¡la otra la tendrá Bill!

—¡Eh, muchacho, trae esa escalera para acá!

—¡Apóyala aquí, en esta esquina!

—¡Un momento! Antes hay que atarlas, si queremos que lleguen arriba.

—¡No hace falta! ¡Con una hay de sobra!

—¡Bill! ¡Coge ese cabo de cuerda!

—¿Aguantará el peso el tejado?

—¡Ojo con esa teja suelta!

—¡Que se cae, que se cae, agachad la cabeza! *(Nuevo estropicio de cristales).*

—¿Quién ha dejado caer esa teja?

—¡Me imagino que ha sido Bill!

—Y ahora..., ¡vamos a ver quién es el guapo que baja por la chimenea!

—¡No contéis conmigo!

—¡Ni conmigo!

—¡Que baje Bill!

—¡Mandemos un «billete» a ese brazo que hay dentro!

—¡Lo siento Bill, pero te ha tocado! ¡Órdenes del jefe!

«¿Así que le ha tocado a Bill? —pensó Alicia, que estaba siguiendo atentamente aquella conversación—. ¡Parece que a Bill le cargan todos los muertos! ¡No me gustaría ser Bill por nada del mundo! ¡A ese Bill le largo yo de un buen puntapié!»

Aunque la chimenea era bastante estrecha, Alicia consiguió meter el pie hasta el fondo y aguardó a ver lo que pasaba. Al poco rato oyó el ruido que hacía un animalito (no podía precisar qué animal era), que descendía por las paredes de la chimenea rozando hasta llegar a situarse justo encima de donde se encontraba su pie.

—¡Hola, Bill! —dijo la niña, a modo de saludo, mientras estiraba la pierna y le largaba un fuerte puntapié.

—¡Adiós, Bill! —oyó que decía un coro de voces en el exterior.

Después de unos momentos de silencio, se oyeron de nuevo unas voces confusas, que hablaban todas a la vez.

—¡Levantadle la cabeza!

—¡Dadle coñac para que se reanime!

—¡Basta, basta! ¡Le estáis mareando!

—¿Qué te pasó, viejo? ¿Cómo te encuentras?

—¡Bill, billete, amigo mío! ¡Cuéntanos lo que te ha ocurrido!

Por fin se oyó una vocecita débil y aguda («ése debe ser Bill», pensó Alicia), que decía:

—En realidad, ni me he enterado... No, muchas gracias..., no me des más..., me encuentro mejor..., pero estoy tan sofocado, que no sé por dónde empezar..., lo único que recuerdo es que alguien... o algo me conectó un directo en la mandíbula..., ¡y salí disparado por los aires como un cohete!

—¡Y de qué forma, chaval! —dijeron los demás a coro.

—¡Hay que prender fuego a la casa! —se oyó la voz del Conejo Blanco. Alicia no pudo contenerse y exclamó:

—¡Si te atreves, te echo a mi Dina, y verás lo que es bueno!

Las palabras de Alicia hicieron enmudecer a los que estaban abajo, y en unos minutos no se oyó ni una mosca.

«¡Vamos a ver qué nueva treta se les ocurre ahora!», pensó Alicia. «¡Si tuvieran un poco de sentido común, quitarían el tejado!»

Al cabo de un tiempo, Alicia oyó de nuevo movimiento y la voz del Conejo Blanco, que decía:

—¡Para empezar, bastará una carretada!

«¿Una carretada de *qué?*», se preguntó Alicia.

Pero prontó tuvo la respuesta, porque comenzó a caer un auténtico diluvio de piedrecitas, y algunas entraban por la ventana y le golpeaban la cara.

«¡Verás qué pronto acabo yo con esto!», se dijo, y en voz alta añadió:

—¡No se os ocurra volver a hacer eso!

Las palabras de Alicia paralizaron de nuevo a los que se encontraban abajo.

Al mirar las piedrecitas que habían caído a su alrededor, Alicia observó con gran sorpresa que se iban transformando en pastelillos, y se le ocurrió una brillante idea.

«Si me como un pastelito de ésos —pensó la niña—, seguramente cambie de tamaño..., ¡y no puedo crecer más de lo que ya he crecido!»

Cogió un pastelillo y se lo llevó a la boca. En seguida pudo comprobar, con gran satisfacción, que su tamaño menguaba. En cuanto pudo pasar por la puerta, salió corriendo de la habitación. Al salir, Alicia vio una multitud de animales y pájaros reunida cerca de la casa. En el centro de la muchedumbre se encontraba Bill, la desventurada Lagartija, que había salido por los aires, sostenida a duras penas por dos Conejillos de Indias, que trataban de reanimarle dándole de beber de una botella. Al ver aparecer a Alicia, los animales corrieron hacia ella, pero la niña corría más que ellos, y consiguió esconderse en un tupido bosque antes de que la alcanzaran.

«Lo primero que debo hacer —se dijo Alicia mientras deambulaba por el bosque— es retornar a mi tamaño verdadero... Y luego, encontrar el camino que me lleve a ese maravilloso jardín que he visto antes... ¡Éste será mi plan de acción!»

¡Y no era, desde luego, un mal plan, dicho así de una manera tan sencilla y tan precisa...! Lo malo es que del dicho al hecho va mucho trecho, y Alicia no tenía la menor idea de cómo llevar a cabo lo que había pensado. Mientras miraba entre los árboles, Alicia oyó un ladrido, que le hizo levantar la vista.

Allí, encima de su cabeza, un enorme cachorro (así le pareció a Alicia) la estaba mirando con sus ojazos redondos, mientras extendía tímidamente una patita para tocarla.

—¡Qué perro más mono! —suspiró la niña, mientras trataba de atraer su atención con un silbido, aunque no las tenía todas consigo, no fuera que el animal tuviera hambre ¡y se la comiera!…

Sin saber muy bien lo que hacía, Alicia cogió un palito del suelo y se lo ofreció al cachorro. Al verlo, el animal se levantó de un salto y, lanzando un jubiloso ladrido, se abalanzó hacia el palito que le ofrecía la niña, dispuesto a seguir su juego. Alicia se escondió detrás de un gran cardo para que el perrito, en su carrera, no la atropellara. Apenas asomó el palito por el otro lado del cardo, el cachorro volvió a la carga con tanto ímpetu que tropezó y dio una voltereta en el aire. Alicia se divertía con aquel juego, aunque pensaba que era tan peligroso como jugar al escondite con un caballo percherón. Corría alrededor del cardo, tratando de protegerse de sus pinchos, mientras el cachorro corría tras el palo ladrando con entusiasmo…

Por fin, el animal, agotado por el esfuerzo, se sentó a descansar, jadeando, con la lengua fuera y los ojos medio entornados…

Alicia aprovechó la ocasión para escapar y no paró de correr hasta que le faltó el aliento; las piernas apenas la sostenían. A lo lejos, todavía se podían oír los débiles ladridos del cachorro, que le llamaba.

«¡Me hubiera gustado seguir jugando con él! —pensó Alicia, mientras descansaba de su carrera, recostada en el tallo de una campanilla y se abanicaba con una hoja—. ¡Le habría enseñado toda clase de trucos, si…, si mi tamaño me lo hubiera permitido! ¡Esto me recuerda que tengo que crecer! ¿Cómo? ¡Supongo que comiendo o bebiendo alguna cosa! ¿Qué? *¡Ahí* está el intríngulis!»

Ésta era la clave de la cuestión. Alicia miraba alrededor y no veía más que hierbas y flores… Nada, en definitiva que pudiera llevarse a la boca… Cerca de donde se encontraba la niña, se erguía una gran seta, casi tan alta como Alicia. Se acercó a ella y comenzó a inspeccionarla, mirándola por abajo y observando el tallo detenidamente, pero no encontró nada de particular.

Para alcanzar a ver lo que había encima, la niña se puso de puntillas. No bien lo hizo, sus ojos se encontraron con los de una Oruga gigante sentada en la seta. Estaba de brazos cruzados y fumaba una gran pipa de narguile, sin prestar atención a Alicia ni a ningún bicho viviente.

CAPÍTULO V

Los consejos de una Oruga

La Oruga y Alicia se estuvieron mirando durante un buen rato en silencio. Por fin, la Oruga con toda parsimonia se quitó la pipa de la boca y, dirigiéndose a Alicia, le dijo con voz lánguida y somnolienta:

—¿Puede saberse quién eres *tú?*

Aquella conversación no parecía haber empezado con muy buen pie, así que Alicia se apresuró a contestar con voz candorosa:

—¡Ay, señor! ¡Ojalá lo supiera yo! Y el caso es que esta mañana lo sabía... ¡Pero ahora mismo no lo sé! ¡Cómo voy a saber quién soy, si estoy cambiando continuamente!

—¿Qué quieres decir con eso? —preguntó la Oruga frunciendo el entrecejo—. ¡Explícate!

—¡Ésa es la cuestión! —exclamó Alicia—. ¡No puedo explicar-*me!* ¡No puedo explicar-*me,* porque yo ya no soy *yo!* ¿Se da usted cuenta?

—¡No, no me doy cuenta de nada! —replicó la Oruga.

—No se lo puedo explicar a usted mejor —continuó Alicia en tono conciliador—, porque... ¡ni yo misma lo entiendo! ¡Cambiar de tamaño varias veces en un mismo día! ¡Figúrese usted lo que es eso! ¿No le parece a usted muy extraño?

—¡No me parece nada extraño! —replicó la Oruga.

—¡Claro, porque usted no ha pasado por ello! —exclamó Alicia—. ¡Pero llegará un día en que se convertirá en crisálida y luego en mariposa...! ¡Y entonces..., ya veremos lo que siente usted!

—¡Qué voy a sentir! —replicó desdeñosa la Oruga—. ¡Pues nada!

—Bueno —dijo Alicia en tono conciliador—. ¡Igual los sentimientos de una Oruga son distintos a los de una niña! Pero puedo asegurarle que *yo*, en su lugar, me sentiría rara.

—*¡Yo!* —repitió la Oruga, luego añadió—: ¿Puede saberse quién eres *tú?*

¡La conversación volvía así a su punto de partida! Alicia comenzaba a cansarse del tono impertinente de la Oruga, así que, irguiéndose, dijo muy digna:

—¡Será mejor que me diga primero quién es usted!

—¿Por qué primero? —preguntó la Oruga.

En realidad, Alicia no sabía cómo contestar a aquella pregunta, así que se dio media vuelta para marcharse.

—¡Alto ahí! —le detuvo la Oruga—. ¡Tengo que decirte algo muy importante!

Las palabras de la Oruga parecían alentadoras, por lo que Alicia se volvió de nuevo.

—¡Cuidadito con ese mal genio! —le dijo la Oruga.

—¿Es todo lo que tenía que decirme? —dijo Alicia, reprimiendo apenas su cólera.

—No —dijo la Oruga.

Y se encerró de nuevo en su mutismo, pero, como Alicia no tenía nada mejor que hacer, decidió esperar para ver por dónde salía la Oruga... La Oruga, por su parte, seguía fumando, como si tal cosa... Al cabo de unos minutos desdobló los brazos, se sacó la pipa de la boca y dijo:

—Así que crees que has cambiado, ¿eh?

—Me temo que sí —le dijo Alicia—. No recuerdo cosas que antes recordaba perfectamente, y..., ¡además, cambio de tamaño cada diez minutos!

—¿Qué es lo que no recuerdas? —preguntó la Oruga.

—Bueno, pues verá usted, hace un rato intenté recitar la fábula de «Las Moscas»... ¡y me salió completamente al revés! —se lamentó la pobre niña.

—Prueba a ver cómo te sale aquella poesía de un joven que quiere dar consejos a un viejo —pidió la Oruga.

Alicia, obediente, cruzó los brazos sobre el regazo y comenzó a recitar:

—Padre, pues ya sois anciano,
¿no os parece un desatino,
teniendo ya el pelo cano,
andar siempre haciendo el pino?
¿Cómo es que no lleváis traza
de sentar la calabaza?

—De joven —el padre dijo—
temí lastimarme el seso,
pero hoy que sé, querido hijo,
que no tengo nada de eso,
¡hago el pino y la campana
siempre que me da la gana!

—Sois viejo, padre, y tenéis
la panza bien regordeta;
con todo, al entrar, habéis
dado una gran voltereta.
¿Cómo hacéis con tanta grasa
para entrar rodando en casa?

—De joven —dijo el anciano—
hice mucho entrenamiento,
dándome siempre una mano
de este eficaz linimento.
Si quieres músculos puros,
¡un frasco por veinte duros!

—Estáis viejo y desdentado;
sin embargo, callandico,
un ganso os habéis zampado
y no ha quedado ni el pico.
¿Cómo sin dientes encima
devoráis como una lima?

—De joven yo fui abogado
y, cuando un pleito tenía,
antes de ir para el juzgado,
con mi mujer discutía,
y, a fuerza de parrafadas,
fortalecí las quijadas.

—Sois viejo y estáis cegato,
y a veces un poco lila,
pero en la nariz ha rato
que mantenéis una anguila.
¿Cómo con tan mala vista
sois tan buen equilibrista?

—¡Ya está bien! He contestado
tres preguntas y me he hartado
de aguantar tantas boberas.
¡Y no te me pongas chulo,
o bajas las escaleras
de una patada en el culo!

—Me temo que te has equivocado —dijo la Oruga.

—Es verdad —dijo la niña, tímidamente—, ¡me temo que me he confundido en algunos versos.

—¡Algunos! —exclamó sarcásticamente la Oruga—. ¡Está mal de la cruz a la raya!

Y de nuevo se produjo un silencio que duró varios minutos. La Oruga dijo al fin:

—¿Qué tamaño quieres alcanzar?

—¡El tamaño es lo de menos! —se apresuró a decir la niña—. Lo que no quiero es estar cambiando todo el rato. Resulta muy incómodo, ¿no le parece?

—¡A mí *no* me parece nada incómodo! —dijo la Oruga.

Alicia se calló. Nunca le habían llevado la contraria de forma tan descarada, e iba a perder los estribos.

—¿Estás a gusto con tu tamaño actual? —le preguntó la Oruga.

—Pues, en realidad, me gustaría ser un poco más grande, señor, si no es molestia..., ¡tres pulgadas de altura es una verdadera desgracia!

—¡Pero qué dices, niña! —repuso la Oruga indignada, irguiéndose cual larga era—. ¡Es la altura perfecta! (Su cuerpo medía exactamente... ¡tres pulgadas!)

—Lo será para usted..., ¡pero es que yo no estoy acostumbrada! —se lamentó la pobre Alicia, mientras pensaba para sí: «¡Hay que ver cómo se ponen estos animales en cuanto les dices algo!»

—¡No te preocupes! —le dijo la Oruga—. ¡Con el tiempo te acostumbrarás!

Se puso la pipa en la boca y siguió fumando tranquilamente. En esta ocasión decidió esperar pacientemente a que a la Oruga se le ocurriera decir algo. Al cabo de unos minutos, la Oruga se sacó la pipa de la boca y empezó a bostezar mientras se estiraba perezosa. Después se bajó de la seta y desapareció entre la hierba, mientras decía:

—¡Un lado te hará crecer y el otro menguar!

«Un lado... *¿de qué?*», se preguntaba a sí misma Alicia, desconcertada.

—¡De la seta! —dijo la Oruga, como si le leyera el pensamiento...

E inmediatamente desapareció por completo.

Alicia se quedó unos instantes mirando pensativa a la seta, intentando averiguar cuáles eran sus lados..., ¡no era nada fácil, teniendo en cuenta que la seta era redonda! Por fin optó por abarcar la seta con los dos brazos extendidos, y cortó un trocito de cada extremo.

«¿Cuál de los dos será el bueno?», se dijo la niña, contemplando los dos pedacitos de seta que sostenía en las manos. Mordisqueó un poco el que tenía en la mano derecha para ver qué pasaba... E inmediatamente sintió un golpe en la barbilla..., ¡había chocado contra su pie!

La niña estaba aterrorizada, pero sabía que no había tiempo que perder..., ¡estaba menguando a la carrera y se iba a quedar en nada! Así que se llevó el otro pedazo a la boca, y con gran dificultad, porque su pie le impedía abrir la boca, consiguió ingerirlo.

* * *

—¡Menos mal! —suspiró la niña aliviada—. ¡Mi cabeza al fin está libre!

Pero, de repente, su alegría se trocó en alarma, al comprobar que sus hombros habían desaparecido por completo de la vista... Miraba hacia abajo y no podía ver sino su propio cuello, que surgía de entre las hojas verdes y se alargaba y se alargaba hasta casi llegar al cielo.

—¿Qué será ese verdor que se ve por allí abajo? —se preguntaba Alicia—. ¿Y dónde se habrán metido mis hombros, que no los veo? ¿Y mis manos? ¡Manitas y piececitos míos!, ¿dónde estáis?

La niña las movía mientras hablaba, pero seguía sin verlas. Sólo veía que allí abajo las hojas se agitaban, cuando las movía.

Como no había forma de llevarse las manos a la cabeza, trató de que ésta descendiera hasta donde se encontraban sus manos. La niña pudo comprobar, con gran alegría, que podía mover el cuello en todas direcciones, como si fuera una serpiente. Cuando consiguió doblarlo, haciendo un gracioso zigzag en el aire, y se disponía a introducirlo entre la masa de verde —que no era más que las copas de los árboles del bosque en el que había estado andando—, oyó un silbido agudo y retiró la cabeza… ¡Una paloma torcaz volaba hacia ella, y le golpeó el rostro con su alas!

—¡Víbora! —le escupió la Paloma a la cara.

—¡No soy una víbora! —replicó Alicia, indignada—. ¡Déjame en paz!

—¡Víbora! ¡Eso es lo que tú eres! —insistió la Paloma, en un tono más tranquilo, para después añadir, en un suspiro—: ¡Dios mío! ¡Lo he probado todo! ¡Pero no hay forma de escapar de ellas!

—No tengo la menor idea de qué me está hablando —le dijo Alicia.

—Lo he probado todo —continuó diciendo la Paloma, sin hacer caso de lo que decía Alicia—. He probado las copas de los árboles, los setos de los caminos, las orillas del río, pero no me ha servido de nada. ¡Nadie escapa del acecho de las serpientes!

Alicia no entendía ni una palabra de lo que decía la Paloma, pero pensó que era mejor no decir nada y dejarla que se desahogara.

—¡Como si no fuera bastante poner huevos! —continuó lamentándose la Paloma—. ¡Pues no! ¡Encima tengo que pasarme día y noche vigilando para que no se los coman las serpientes! ¡Como que llevo tres semanas sin pegar ojo!

—Siento que la hayan molestado —le dijo Alicia, que empezaba a entender lo que le pasaba.

—Y ahora, que había subido al árbol más alto del bosque —continuó la Paloma, alzando la voz hasta dar un chillido—, ahora que había encontrado acomodo en este árbol y pensaba que me había librado de su odiosa presencia…, de nuevo, bajan reptando incluso del cielo.

—¡Pero yo no soy una culebra ni tampoco he bajado del cielo! —exclamó Alicia—. Yo soy... yo soy...

—Bueno, ¿quién eres? *¡Dilo* de una vez! —exclamó la Paloma—. ¿O es que te estás inventando una mentira?

—Yo no soy más que... una niña —dijo Alicia, aunque no estaba muy convencida de lo que decía, porque había cambiado tantas veces en un solo día que... ¡cualquiera sabía ya lo que era!

—¡Bonita historia! —exclamó, despectiva, la Paloma—. ¡En mis buenos tiempos he conocido a muchas niñas y puedo asegurarte que ninguna tenía un cuello como el que tú tienes! ¡A mí no me engañas! ¡Tú eres una serpiente y no te sirve de nada negarlo! ¡Supongo que ahora me dirás que nunca has comido un huevo!

—¡Claro que *he* comido huevos! —exclamó Alicia, que era incapaz de decir una mentira—. ¡Pero es que las niñas comen tantos huevos como las serpientes!

—No me creo una palabra de lo que dices —exclamó la Paloma—, pero, en cualquier caso, eso demuestra que las niñas son igual que las serpientes..., ¡o peores!

Alicia se quedó desconcertada ante aquel razonamiento de la Paloma y no supo qué contestarla, por lo que la Paloma insistió:

—Lo único que sé es que vienes a por mis huevos... A fin de cuentas, ¿a mí qué me importa que seas una niña o una serpiente?

—¡Pues a mí sí! —se apresuró a decir Alicia—. Puedo asegurarle que no estoy buscando huevos, y, en todo caso, no me comería los suyos, porque no me gustan crudos.

—Pues entonces..., ¡largo de aquí! —dijo la Paloma, todavía molesta, acomodándose de nuevo en el nido que se había construido en el árbol.

Alicia se metió como pudo entre las ramas de los árboles, procurando que su largo cuello no se le enredara entre las hojas. Un rato después se acordó de que todavía conservaba pedazos de seta en las dos manos, así que empezó a mordisquear primero uno y luego otro, y así fue creciendo y menguando, creciendo y menguando, hasta que al fin consiguió recuperar su tamaño normal.

Al principio se sintió algo extraña, pues hacía tiempo que no tenía su estatura normal, pero pronto se volvió a habituar y, tal como tenía por costumbre, empezó a hablar consigo misma:

«¡Ánimo! —se dijo—. ¡De momento ya he realizado la mitad de mi plan! ¡Y mi trabajo me ha costado con tanto crecer y tanto menguar! ¡Pero ya vuelvo a ser lo que era! ¡Ahora falta la otra mitad: entrar en aquel maravilloso jardín!... ¡Pero no tengo ni idea de cómo conseguirlo!»

Mientras decía estas palabras, llegó a un claro del bosque, donde había una casita, que no tendría más de cuatro pies de altura.

«No sé quién vivirá allí dentro —se dijo Alicia—, pero sea quien sea se moriría de miedo, si me viera aparecer así.»

Así que se puso a mordisquear del pedazo que tenía en la mano derecha y no se acercó a la casa hasta que no volvió a tener un tamaño de nueve pulgadas.

CAPÍTULO VI

Un cerdo que estornuda

Alicia se quedó unos minutos parada, mirando la casa, sin saber muy bien lo que debía hacer. De pronto, apareció un lacayo vestido de librea (bueno, a Alicia le pareció que era un lacayo por el traje, porque, a juzgar por la cara, no era más que un vulgar pez) y se fue hacia la puerta de la casa. Llamó imperiosamente con los nudillos de la mano y, al punto, le abrió otro lacayo, que también iba vestido de librea, aunque éste tenía la cara redonda y los ojos grandes y saltones de una rana. Alicia observó que los dos lacayos llevaban unas grandes y empolvadas pelucas. La niña sentía curiosidad por saber qué estaba pasando, así que salió del bosque y se acercó a la casa para oír lo que decían.

El Lacayo-Pez sacó un sobre, que abultaba casi tanto como él y que llevaba bajo el brazo, y se lo entregó al otro lacayo, mientras decía, con voz reposada y solemne:

—¡Su Majestad la Reina tiene el honor de invitar a la Señora Duquesa a un partido de croquet!

El Lacayo-Rana contestó con el mismo tono solemne y con las mismas palabras, si bien invirtiendo el orden de las mismas:

—¡La Señora Duquesa tiene el honor de aceptar la invitación de su Majestad la Reina a jugar un partido de croquet!

A continuación, los dos lacayos se inclinaron ceremoniosamente, pero lo hicieron a la vez, de manera que los bucles de una y otra peluca quedaron enredados.

Al verlos así enzarzados, Alicia apenas pudo contener la risa, y tuvo que salir corriendo hacia el bosque para que no la oyeran. Cuando regresó, el Lacayo-Pez había desaparecido y el otro estaba sentado en el suelo contemplando con mirada estúpida el vacío.

Alicia se acercó a la puerta y llamó tímidamente.

—No pierdas el tiempo llamando —le dijo el Lacayo que estaba en el suelo—, por dos razones: La primera, porque yo estoy en el mismo lado de la puerta que tú. La segunda, porque los que están al otro lado de la puerta no te pueden oír, ya que dentro reina un ruido infernal.

Y, efectivamente, del interior de la casa *salía* un ruido realmente ensordecedor, un estruendo de chillidos y estornudos acentuado, de vez en cuando, por la rotura de un plato, o alguna otra pieza de la vajilla, al estrellarse contra el suelo.

—¿Podría usted indicarme entonces —le preguntó Alicia— qué tengo que hacer para entrar?

—Tendría sentido llamar a la puerta —continuó el Lacayo, sin prestar atención a las palabras de Alicia—, si ésta estuviera entre nosotros dos... Entonces tú llamarías, y yo no tendría inconveniente en abrirte.

Mientras hablaba, el Lacayo miraba estúpidamente al cielo, algo que le pareció a Alicia de muy mala educación.

«Aunque quizá no lo pueda evitar —pensó la niña—. ¡Cualquiera mira de frente con los ojos en la frente! Pero, al menos, podría contestar a mis preguntas».

Y en voz alta añadió:

—¿Podría indicarme cómo puedo entrar?

—Yo, por mi parte —continuó el Lacayo—, no pienso moverme de aquí hasta mañana...

En ese momento se abrió la puerta de la casa y salió volando un plato grande, que iba derecho a la cabeza del

Lacayo. Afortunadamente sólo le rozó la nariz, y fue a estrellarse contra un árbol, que había detrás de él.

—...O hasta pasado, si se tercia —continuó diciendo el Lacayo, como si nada hubiera ocurrido.

—¿Puede saberse cómo puedo entrar en la casa? —preguntó de nuevo Alicia, alzando el tono de voz.

—¡Lo primero que deberías preguntarte —exclamó el Lacayo— es si *debes o no debes* entrar en esa casa! ¡Empecemos por ahí!

Tenía razón el Lacayo..., ¡había que empezar por ahí!

Pero a Alicia le molestaba que se lo recordaran...

«¡Qué manía de discutir tienen todos estos bichos! —se decía la niña—. ¡Me van a volver loca!»

El Lacayo pensó que aquél era un buen momento para repetir lo que ya había dicho antes.

—Pienso quedarme aquí sentado los días que haga falta.

—Y mientras tanto, ¿qué debo hacer yo? —preguntó Alicia.

—Lo que se te antoje —dijo el Lacayo—. ¡No es asunto mío!

Y comenzó a silbar una canción.

«¡No vale la pena gastar saliva hablando con ese animal! —se dijo Alicia—. ¡Es un perfecto imbécil!»

Y decidió abrir la puerta y entrar por las buenas.

La puerta conducía a una amplia cocina, llena de humo. La Duquesa estaba sentada en el centro de la habitación, en un taburete de tres patas, meciendo un bebé en su regazo, mientras que la cocinera daba vueltas a un puchero en la lumbre, que parecía lleno de sopa.

«¡Esa sopa tiene demasiada pimienta!», se dijo Alicia mientras estornudaba.

La pimienta no estaba sólo en la sopa, sino en todas partes. La Duquesa estornudaba de vez en cuando y el bebé alternaba los estornudos con los aullidos, sin un momento de respiro. Los dos únicos seres de la cocina que no estornudaban eran la cocinera y un gato grande, que se había acomodado junto al fogón y sonreía de oreja a oreja.

—¿Tendría la bondad de explicarme —se aventuró Alicia, que no sabía muy bien si debía ser la primera en hablar— por qué sonríe el gato?

—¡Toma, porque es un gato de Cheshire! —exclamó la Duquesa—. ¡Eso salta a la vista! ¡Cochino!

Alicia se sobresaltó al oír esta última palabra, pues no sabía si iba dirigida a ella. Pero, al ver que el bebé era el blanco de las iras de la Duquesa, con más presencia de ánimo continuó:

—La verdad es que no tenía idea de que los gatos de Cheshire estuvieran siempre sonriendo... En realidad, no tenía siquiera la más mínima idea de que los gatos pudieran sonreír.

—¡Pues claro que pueden! —aseguró la Duquesa—. ¡Y no sólo pueden, sino que lo hacen!

—Pues yo no sé de ninguno que lo haga —dijo Alicia, encantada de encontrar un tema de conversación que le gustaba.

—¡Tú qué vas a saber! —exclamó la Duquesa—. ¡Tú no sabes nada de nada!

A Alicia le molestó el tono despectivo de las palabras de la Duquesa, y pensó que lo mejor sería cambiar de conversación. Intentaba encontrar algo que decir, cuando la cocinera, que acababa de retirar el puchero de la lumbre, comenzó a arrojar sobre la Duquesa y el bebé todos los objetos que estaban al alcance de su mano... Primero, los hierros del fogón, y, después, una lluvia de platos, cacerolas y fuentes. La Duquesa seguía imperturbable, haciendo caso omiso de aquel bombardeo de proyectiles que caía sobre ella... Y el bebé seguía berreando con la misma intensidad que antes, de manera que era muy difícil saber si lloraba por el impacto de aquellos objetos.

—*¡Por favor!* ¡Cuidado con lo que hacen! —gritaba la niña fuera de sí, saltando de acá para allá, sin saber qué parte tomar en aquella batalla—. ¡Cuidado con su nariz, su preciosa naricita!— gritó, al ver que una cacerola de tamaño descomunal pasaba rozando las narices del bebé, y casi se las llevaba por delante.

—¡Deja en paz las narices del bebé y cuida de las tuyas! —le gritó la Duquesa—. ¡No las metas donde no te llaman! ¡Si la gente no metiera las narices donde no le llaman, el mundo daría muchas más vueltas!

—El mundo no puede dar más vueltas que las que da —dijo Alicia, encantada de encontrar un tema de conversación que le permitía exhibir sus conocimientos—. ¡Piense lo que ocurriría con el día y con la noche...! Si tenemos en cuenta que la tierra, al girar sobre su eje, ejecuta un...

—Hablando de ejecutar —le interrumpió la Duquesa—, ¡que le corten la cabeza!

Alicia se volvió horrorizada hacia donde estaba la cocinera para ver si a ésta se le ocurría *ejecutar* las órdenes de su ama... Pero la cocinera estaba otra vez en lo suyo, que era dar vueltas y más vueltas al puchero, y parecía no atender a la conversación que sostenían, así es que decidió continuar hablando como si tal cosa:

—...la tierra ejecuta un giro sobre su eje cada veinticuatro horas... *¿o son doce?*

—¿A mí me lo preguntas? —dijo despectiva la Duquesa—. ¿No sabes que odio echar cuentas?

Y, volviéndose hacia el bebé, comenzó a arrullarle con una canción de cuna que le cantaba al oído a voz en grito, dándole una violenta sacudida al final de cada verso:

—¡Habla con furor al niño!
Y, si estornuda, ¡le sobas!,
que el mamón de él lo hace sólo
porque sabe que joroba.

CORO
(en el que participaban la cocinera y el bebé)
¡Ayayayaaaay!

Mientras cantaba la segunda estrofa, la Duquesa lanzaba al bebé por los aires, recogiéndolo al vuelo tan bruscamente, que el pobre niño aullaba de dolor, así que Alicia sólo pudo distinguir algunas palabras:

¡Yo le regaño a mi niño,
y, si estornuda, le casco,
que le gusta la pimienta
y siempre anda tras el frasco!

CORO
¡Ayayayaaaay!

—¡Anda! ¡Arrúllalo tú un poco, si quieres! —le dijo la Duquesa a Alicia, arrojándole el bebé, que Alicia hubo de coger al vuelo—. ¡Yo tengo que ir a jugar al croquet con la Reina!

Y salió corriendo de la cocina. La cocinera le lanzó una sartén, a modo de despedida, que no llegó a alcanzarla.

No le resultaba fácil a Alicia sostener en brazos al bebé que le había dejado la Duquesa, pues la criatura tenía una forma rara, con unas piernas y brazos que le salían en todas direcciones, «como si fuera una estrella de mar», pensó Alicia. La criatura resoplaba, como si se tratara una locomotora, y se retorcía en los brazos de Alicia de manera tan violenta, que al principio apenas podía sostenerlo.

De tanto retorcerse, la criatura se hizo un nudo, y Alicia lo cogió de la oreja derecha y del pie izquierdo (para que el nudo no se deshiciera), y de esta forma tan singular lo sacó de la casa.

«¡Si no me lo llevo —pensó Alicia—, me lo matan!»

—¡Sería un crimen abandonarlo a su suerte!

La niña había pronunciado las últimas palabras en voz alta, y el bebé le lanzó una especie de gruñido por respuesta.

—¡No me gruñas! —le recriminó Alicia—. ¡No son modales de un bebé!

El bebé volvió a gruñir, y Alicia, preocupada, se inclinó a observarle de cerca y tratar de adivinar lo que le ocurría. Bien mirado, el bebé tenía, en realidad, una nariz tan chata, que más parecía un hocico, y los ojos se le habían achicado tanto, que no parecían los de un bebé… ¡Todo aquello le daba a Alicia muy mala espina!

«¡Quizá los ojitos se le han puesto así de tanto llorar!», pensó la niña y le observó los ojos atentamente, pero no descubrió ni rastro de lágrimas.

—¡Te lo advierto! —le dijo la niña al bebé con toda seriedad—. ¡Si me haces una cochinada, ya no te voy a querer más!

La pobre criatura dio otro quejido (que bien podía haber sido un gruñido, no había forma de distinguirlos), y los dos siguieron su camino en silencio.

Alicia empezaba a preocuparse de lo que haría con la criatura («¿Qué me van a decir en casa —se decía—, al aparecer con ella en brazos?»), cuando el bebé lanzó un nuevo gruñido, y esta vez de forma tan violenta, que la niña no tuvo más remedio que mirarle de nuevo la cara… ¡Ya no cabía la menor duda! Lo que Alicia estaba sosteniendo en sus brazos no era ni más ni menos que un cerdito.

La niña se dio cuenta de que eso de estar acunando a un cerdito era algo bastante absurdo, así que lo dejó en el suelo y sintió alivio al ver que el animal se perdía trotando por el bosque.

«La verdad es que, como bebé —reflexionaba Alicia—, resultaba bastante feo y habría sido un niño horroroso…, en cambio, como cerdito…, ¡resulta bastante gracioso!»

Y se puso a pensar en todos los niños que conocía, algunos, espantosos, y que, sin embargo, harían un papel muy lucido como cerditos, y, cuando ya estaba cavilando cómo transformarlos en cochinos, se sorprendió al ver al Gato de Cheshire sentado en la rama de un árbol junto a ella.

Al ver a Alicia, el Gato mostró su amplia sonrisa... «¡Este Gato está siempre de buen humor!», pensó la niña... Pero, al ver sus afiladas garras y su larga hilera de dientes, pensó que no estaría de más guardar las distancias.

—Minino de Cheshire —comenzó diciendo Alicia de forma algo tímida, porque no sabía muy bien si le iba a gustar el nombre que le había dado... El Gato extendió aún mas su sonrisa.

«Parece que le ha gustado», pensó Alicia y continuó en voz alta:

—¿Por favor, podría indicarme qué dirección debo seguir?

—Eso depende —le contestó el Gato— de adonde quieras ir.

—No me importa el lugar... —dijo Alicia.

—En ese caso —le contestó el Gato— tampoco importa la dirección que tomes.

—... adonde me dirijo —continuó Alicia—, ¡sólo quiero llegar a *algún sitio!*

—¡Eso es fácil! —le contestó el Gato—. ¡No tienes más que continuar andando!

¿Cómo negar la lógica aplastante de las palabras del Gato? Alicia prefirió cambiar de tercio:

—¿Qué tipo de personas viven aquí?

—En *esa* dirección —dijo el Gato, indicando con su pata derecha— vive un Sombrerero, y en esa *otra* —dijo, señalando con la otra pata— vive una Liebre de Marzo... Puedes visitar al que gustes..., ¡los dos están igual de locos!

—Pero si yo no quiero estar entre locos... —objetó la niña.

—Eso es algo que no puedes remediar —le contestó el Gato—, pues aquí... ¡todos lo estamos! ¡Yo lo estoy...! ¡Y tú también lo estás!

—¿Cómo sabe que estoy loca? —le preguntó la niña.

—Tienes que estarlo —le dijo el Gato—, pues, de lo contrario..., ¡no estarías aquí!

Alicia no creía que eso fuera una prueba irrefutable, pero decidió pasarlo por alto y continuó preguntando:

—¿Y cómo podría probarme que está usted loco?

—¡Eso es fácil! —le comentó el Gato—. Comencemos. Premisa mayor. El perro es un animal que no está loco. ¿De acuerdo?

—Supongo que sí —dijo Alicia.

—Bien. Premisa menor. El perro gruñe, cuando está enfadado, y mueve el rabo, cuando está contento. Yo hago justamente lo contrario. Muevo el rabo, cuando estoy enfadado, y gruño, cuando estoy contento. Luego... ¡yo estoy loco!

—A eso que hacen los gatos no le llamo yo «gruñir», sino «ronronear» —observó Alicia.

—¡Llámalo como quieras! —exclamó el Gato—. Por cierto, ¿vas a ir a jugar al croquet con la Reina esta tarde?

—¡Me encantaría! —exclamó Alicia—. Pero es que no me han invitado.

—¡Pues allí nos veremos! —dijo el Gato, y desapareció de la vista.

Alicia estaba acostumbrándose a que le ocurrieran las cosas más peregrinas, así que apenas se sorprendió cuando se le borró de la vista el Gato. Todavía seguía mirando hacia el lugar donde le había visto, cuando el Gato reapareció de nuevo.

—Por cierto —dijo el Gato—, ¿qué fue de aquel bebé? Casi se me olvidaba preguntártelo.

—Se convirtió en un cerdo —le contestó Alicia como si tal cosa.

—¡Lo suponía! —exclamó el Gato, y desapareció de nuevo.

Alicia estuvo un rato esperando a que el Gato reapareciera de nuevo, pero, como no lo hizo, decidió continuar su camino en dirección a donde vivía la Liebre de Marzo.

«¡A los Sombrereros los tengo muy vistos! —se dijo Alicia—. ¡La Liebre de Marzo parece ser mucho más interesante! ¡Y, además, como estamos en Mayo, y no en Marzo, quizá no esté tan loca!»

Mientras pensaba estas cosas, levantó la vista y vio de nuevo al Gato sentado en la rama de un árbol.

—Perdón —le dijo el Gato—, al hablar del bebé, ¿dijistes "cerdo" o "lerdo"?

—¡Dije "cerdo"! —exclamó Alicia, sobresaltada—. ¡Y, por favor, no aparezca y desaparezca de forma tan repentina! ¡Me está mareando!

—¡Como gustes! —le dijo el Gato.

Y en esta ocasión se esfumó lentamente, empezando por la punta de la cola y acabando por la sonrisa de su boca, que permaneció flotando en el aire cuando ya el resto del cuerpo había desaparecido.

—¡Eso sí que es bueno! —exclamó Alicia—. ¡Una cosa es un gato sin sonrisa, pero otra, muy distinta, una sonrisa sin gato! ¡Es la cosa más extraña que he visto en mi vida!

No había caminado mucho, cuando llegó a la casa de la Liebre de Marzo. Era inconfundible, porque las chimeneas tenían la forma de grandes orejas y el tejado estaba cubierto de piel. Era una casa demasiado grande para el tamaño de ella en aquel momento, así que mordió un poco de la seta que conservaba en su mano izquierda y enseguida volvió a crecer a una altura de dos pies. Entonces se dirigió a la casa, aunque todavía no las tenía todas consigo, y, al acercarse a la puerta, iba pensando:

«Si está loca de remate, ¿qué hago yo con ella? ¡Ojalá hubiera ido a casa del Sombrerero!»

CAPÍTULO VII

Una merienda de locos

Habían colocado una mesa grande bajo un árbol frente a la casa, y allí la Liebre de Marzo y el Sombrerero estaban tomando el té. Había un Lirón sentado entre los dos. Estaba profundamente dormido, y los otros dos lo usaban de almohada, apoyando los codos encima de él y hablando por encima de su cabeza.

«Debe estar pasándolo muy mal el Lirón —pensó Alicia—, aunque, como está dormido, supongo que ni siente ni padece.»

La mesa era muy larga, pero los tres comensales estaban amontonados en un rincón.

—¡No hay sitio! ¡No hay sitio! —exclamaron al ver que se acercaba Alicia.

—¡Pues claro que *hay sitio!* —dijo Alicia indignada, y se sentó en una butaca que había en el extremo de la mesa.

—¿Te apetece un poco de vino? —insinuó, meliflua, la voz de la Liebre de Marzo.

Por más que miraba a su alrededor, Alicia no veía nada más que una mesa preparada con el servicio de té.

—No veo vino por ningún lado —dijo la niña.

—No lo ves, porque no lo hay —le contestó la Liebre.

—Es de mala educación ofrecer algo que no se tiene —repuso Alicia, enojada.

—Como también sentarse a la mesa sin haber sido invitado —dijo la Liebre de Marzo.

—¡No sabía que la mesa fuera *suya!* —se excusó Alicia—. ¡Al fin y al cabo está preparada para muchas más personas!

El Sombrerero, que había estado observando a Alicia con gran curiosidad, abrió la boca para decir:

—¡Lo que necesitas es un buen corte de pelo!

—Debería usted saber —le contestó Alicia mirándole con severidad— que nunca hay que hacer comentarios personales... ¡Es de pésima educación!

El Sombrerero puso los ojos como platos, al oír el comentario de Alicia, pero lo único que dijo fue:

—¿En qué se parece un cuervo a una mesa de escritorio?

«¡Esto se pone divertido! —pensó Alicia—. ¡Me alegro que les gusten los acertijos!»

Y añadió en voz alta:

—Un momento, creo que puedo adivinarlo.

—¿Quieres decir que sabes la respuesta? —le preguntó la Liebre de Marzo.

—Eso es lo que he dicho exactamente —afirmó Alicia.

—Eso no es exactamente lo que has dicho —le dijo la Liebre de Marzo—. Debes pensar siempre lo que dices.

—¡Es lo que hago! —exclamó Alicia—, o, por lo menos, digo lo que pienso, que, al fin y al cabo, viene a ser lo mismo.

—¡Cómo va a ser lo mismo! —exclamó el Sombrerero—. ¡No es lo mismo decir «veo lo que como» que «como lo que veo»!

—¿Cómo va a ser lo mismo? —coreó la Liebre de Marzo—. ¡No es lo mismo decir «me gusta lo que tengo» que «tengo lo que me gusta»!

—¡Cómo va a ser lo mismo! —dijo el Lirón, que arrastraba las palabras, porque todavía estaba dormido—. ¡No es lo mismo decir «respiro cuando duermo» que «duermo cuando respiro»!

—¡Pues, en tu caso, sí lo es! —exclamó el Sombrerero.

La conversación languideció durante unos instantes, que Alicia aprovechó para hacer un repaso mental de todo lo que sabía sobre cuervos y escritorios, que era bien poco.

El Sombrerero fue el primero en romper el silencio.

—¿A cuántos estamos? —dijo, dirigiéndose a Alicia.

Había sacado el reloj, que llevaba en el bolsillo del chaleco y lo miraba preocupado, agitándolo de vez en cuando y llevándoselo al oído.

—¡Estamos a cuatro! —exclamó Alicia, después de pensárselo un rato.

—¡Se me ha atrasado dos días! —exclamó desesperado el Sombrerero—. ¡Ya te dije que no se arreglaba con mantequilla! —añadió, mirando a la Liebre con indignación.

—¡Te juro que usé mantequilla de la mejor calidad! —se excusó la Liebre.

—Claro, pero con la mantequilla se habrán mezclado migas de pan —gruñó el Sombrerero—. ¡No deberías haber untado el reloj con el cuchillo del pan!

La Liebre de Marzo cogió el reloj, lo examinó con gravedad y a continuación lo hundió en la taza de té. Después lo volvió a examinar, pero no debió observar mejoría alguna, porque repitió apesadumbrado:

—¡Era mantequilla de la *mejor* calidad!

Alicia había estado examinando el reloj, mirando por encima del hombro de la Liebre.

—¡Qué reloj más extraño! —exclamó la niña—. ¡Da el día del mes, pero no la hora del día!

—¡La hora del día... da lo mismo! —dijo el Sombrerero—. ¿Acaso tu reloj da los años?

—¡Ni falta que hace! —le respondió Alicia con decisión—, pues permanece en el mismo año durante mucho tiempo.

—¡Es justamente lo que hace el *mío!*—exclamó el Sombrerero.

Alicia no le podía sacar de ahí. A pesar de que el Sombrerero se expresaba de forma correcta, lo que decía parecía no tener sentido alguno.

—Me temo que no le entiendo muy bien —dijo Alicia.

—¡El Lirón se ha vuelto a dormir! —exclamó el Sombrerero, y le vertió un poco de té en la nariz para espabilarlo.

El Lirón movió la cabeza y, sin abrir los ojos, acertó a decir:

—¡Sí, sí, por supuesto! ¡Eso mismo iba a decir yo!

—¿Has adivinado el acertijo? —le preguntó la Liebre de Marzo a Alicia.

—¡Pues no! ¡Me rindo! —le dijo Alicia—. ¿Cuál es la respuesta?

—No tengo ni idea —le contestó el Sombrerero.

—Ni yo —repuso la Liebre.

—¿No tienen ustedes nada mejor que hacer que perder el tiempo y malgastarlo en acertijos que no tienen solución?

—Si conocieras al Tiempo tan bien como lo conozco yo, no hablarías de malgastarlo, sino de malgastarle... ¡El Tiempo es un señor!

—No entiendo ni una palabra de lo que me está diciendo —dijo Alicia.

—¡Pues claro que no entiendes! —exclamó el Sombrerero echando, displicente, la cabeza hacia atrás—. ¡Hasta me atrevería a afirmar que nunca has hablado con él!

—Puede que no —dijo Alicia con cautela—, pero le aseguro que en las clases de música he marcado el compás del tiempo.

—¡Eso está muy mal! —le contestó el Sombrerero—. ¡No se puede llevar al tiempo de copas, porque en seguida pierde la cabeza y se olvida de marcar las horas! ¡Trátale con más respeto y verás que marca la hora que tú quieras! ¡Son, pongamos por caso, las nueve de la mañana, hora de ir al colegio! ¡Pues nada, le haces un guiño al tiempo, y él se encarga de dar unas cuantas vueltas a los relojes y, ¡zas!, la una y media, hora de comer!

—¡Qué más quisiera yo! —dijo la Liebre de Marzo, relamiéndose de gusto.

—¡Eso sería estupendo! —exclamó Alicia, pero se lo pensó mejor y añadió—: ¡Lo malo es que no tendría apetito!

—¡Pues claro que lo tendrías! —le aseguró el Sombrerero—. ¡El reloj se detendría en la una y media y esperaría a que lo tuvieras!

—¿Así es cómo se entiende usted con el Tiempo? —le preguntó Alicia.

—¡Ojalá me entendiera! —exclamó el Sombrerero con voz lastimera, moviendo tristemente la cabeza—. ¡Pero desde que nos peleamos en el mes de Marzo, justamente antes de que a ése le entrara la locura —añadió, señalando a la Liebre de Marzo—, el Tiempo y yo ya no nos entendemos! ¡Recuerdo muy bien nuestra disputa! ¡Fue durante el concierto que ofreció la Reina de Corazones! Recuerdo que a mí me tocó cantar esa cancioncilla que dice:

«¡Tin-tin-tin-tin, tintinea,
estrellita de la aldea!»

—¿Conoces la canción? —le preguntó a Alicia.

—Creo que la he oído en alguna parte —le dijo la niña.

—¡Claro que yo la canto de una manera algo distinta!

«¡Tin-tin-tin-tin, tintinea,
las tacitas de la abuela!
¡Tan, tan, tan, tan, tan, tan,
té, y mantequilla con pan!»

El Lirón se revolvía en su asiento y no hacía más que repetir, entre sueños, el estribillo de la canción: *¡tin, tin, tintinea, tin, tin, tintinea!,* de manera que hubo que darle un buen pellizco para que parase.

—Yo estaba en pleno recital —continuó diciendo el Sombrerero—; la Reina se levantó y dijo: ¡Se está cargando el tiempo de la canción! ¡Que le corten la cabeza!

—¡Qué barbaridad! —exclamó Alicia horrorizada.

—Desde entonces, el Tiempo no me hace caso —dijo el Sombrerero con la voz apagada por la tristeza—. ¡Siempre son las seis de la tarde!

El rostro de Alicia se iluminó:

—¡Por eso está siempre preparado el servicio de té!

—¡Naturalmente! —dijo el Sombrerero en un suspiro—. ¡Aquí son siempre las seis de la tarde! ¡La hora del té! ¡Y, como siempre estamos en la misma hora, no nos da tiempo a lavar los platos!

—¡Y os vais moviendo de un lugar a otro! ¿No es así?

—Así es —dijo el Sombrerero—. ¡Cuando ensuciamos un lugar, nos corremos al siguiente!

—¿Y qué ocurrirá —quiso saber Alicia— cuando hayáis dado toda la vuelta a la mesa?

—¡Me estáis aburriendo! —les interrumpió bostezando la Liebre de Marzo—. Vamos a cambiar de tema... Propongo que esta jovencita nos cuente un cuento.

—Ahora no recuerdo ninguno —se excusó Alicia.

—¡Pues que lo cuente el Lirón! —gritaron a coro los dos comensales—. ¡Vamos a despertarle!

Se entregaron a la labor con ardor, dando puntapiés y pellizcando al pobre Lirón, hasta que consiguieron que abriera los ojos.

—¡Que conste que no estaba dormido! —dijo con voz débil y ronca el Lirón al despertarse—. ¡He oído todas vuestras palabras!

—¡Cuéntame un cuento! —le pidió la Liebre de Marzo.

—¡Te lo pedimos por favor! —le rogó Alicia.

—Abrevia —le recomendó el Sombrerero—, no sea que te duermas antes de llegar al final.

—Érase una vez —comenzó apresuradamente el Lirón— tres preciosas hermanitas, que se llamaban Alicia, Delicia y Malicia..., que vivían en el fondo de un pozo.

—¿Y de qué vivían? —preguntó Alicia, que siempre se interesaba por las cuestiones de alimentación.

—¡Pues de melaza! —dijo el Lirón, después de pensarlo un poco.

—¡Eso es imposible! —exclamó Alicia—. ¡Se habrían puesto muy enfermas, si sólo comían melaza!

—Eso es lo que ocurría —dijo el Lirón—. ¡Las tres hermanitas estaban muy enfermas!

¡A duras penas Alicia podía imaginarse la vida de aquellas tres hermanitas, que vivían en el fondo de un pozo, y se pasaban la vida comiendo melaza! Pero estaba tan intrigada, que le siguió preguntando al Lirón:

—¿Por qué vivían en el fondo del pozo?

—Querida —le dijo solícita la Liebre de Marzo—, ¿no quieres tomar un poco más de té?

—¡Pero si todavía no he tomado nada! —protestó Alicia—. ¿Cómo voy a tomar *más?*

—¡Pues claro que puedes tomar *más* que nada! —exclamó el Sombrerero—. ¡Pero prueba a tomar *menos* que nada! ¡Eso sí que es realmente difícil!

—¡Nadie le ha preguntado su opinión! —le dijo Alicia.

—¿Y quién está haciendo ahora —exclamó el Sombrerero, triunfante— comentarios de tipo personal, eh?

Alicia se calló, pues no sabía muy bien qué decir, y aprovechó la ocasión para servirse un poco de té y unas rebanadas de pan con mantequilla. Después se dirigió al Lirón para insistir:

—¿Por qué vivían en el fondo de un pozo?

El Lirón se lo pensó un rato antes de contestar.

—Porque era un pozo de melaza.

—¡No existe eso! —protestó Alicia, que estaba cada vez más irritada.

Los otros la instaban a que se callara, y el Lirón la reconvino:

—¡Si esta jovencita no sabe comportarse, tendrá que acabar ella la historia!

—¡Oh, no, por favor! —exclamó desolada la pobre Alicia—. ¡No pretendía molestarle! ¡Le prometo que no volveré a interrumpirle! Además, es posible que exista un pozo como usted dice…

—¡Cómo que uno! —exclamó indignado el Lirón.

A duras penas consiguieron que prosiguiera su relato.

—¡Y las tres hermanitas estaban aprendiendo a dibujar!

—¿Y qué dibujaban? —preguntó de nuevo Alicia, que acababa de olvidar su promesa de no interrumpir.

—Pues melaza —le dijo el Lirón sin pensarlo dos veces.

—¡Necesito una taza limpia! —exclamó el Sombrerero—. ¡Vamos a corrernos todos un lugar!

Mientras hablaba, se corrió un lugar, y el Lirón hizo lo mismo. La Liebre de Marzo ocupó el lugar del Lirón y Alicia no tuvo más remedio que correrse para ocupar el lugar de la Liebre. Estaba claro que el Sombrerero era el único que había salido ganando con el cambio, y Alicia había salido perdiendo, pues la Liebre había vertido la leche en su plato y había dejado su puesto hecho una pena.

Alicia no quería ofender de nuevo al Lirón, así que midió cuidadosamente sus palabras antes de decir:

—No acabo de entenderle… ¿De dónde sacaban la melaza las tres hermanitas?

—¡Pues del pozo, boba! —le dijo el Sombrerero—. Si de un pozo normal se saca agua…, ¿qué crees tú que puede sacarse de un pozo de melaza?

—¡Pues nada! —exclamó Alicia triunfante, creyendo haber pillado a sus amigos—. ¡No se puede sacar *nada* de un pozo, si uno está *dentro* del pozo!

—¿Y por qué crees tú que estaban *dentro?* —le preguntó a su vez el Lirón—. ¡Pues porque su gozo estaba en un pozo!

Aquella última frase acabó de confundir a la pobre Alicia, así que dejó que el Lirón continuara con su historia:

—¿Y sabes cuál era el gozo de las tres hermanitas? ¡Pues comer melaza! ¡Y, cuando no comían, dibujaban! —los ojos se le cerraban al pobre Lirón, pues llevaba ya bastante tiempo sin dormir—. Dibujaban todo tipo de cosas..., cosas que empiezan con la letra M...

—¿Y por qué con la M? —preguntó Alicia.

—¿Y por qué no? —le respondió el Lirón.

Alicia se calló.

Los ojos del Lirón se habían cerrado por completo y comenzaba ya a dormitar, cuando el Sombrerero le dio un buen pellizco para obligarle a continuar su relato.

—...cosas que empiezan con la letra M, por ejemplo, Mostaza y Marsopa y Memoria y Más o Menos lo Mismo... Por cierto, ¿sabrías tú dibujar Más o Menos lo Mismo?

—Pues, ahora que me lo pregunta —dijo Alicia algo confundida—, creo que debe resultar bastante difícil.

—¡Si no sabes, no hables! —exclamó el Sombrerero.

Aquella nueva impertinencia fue la gota que colmó el vaso. Alicia se levantó y se marchó sin molestarse siquiera en despedirse. De vez en cuando volvía la cabeza, medio esperando que la llamaran... Pero el Lirón se había quedado profundamente dormido y los otros dos parecían no haberse percatado de su partida... La última vez que volvió la cabeza vio al Lirón de cabeza en la tetera, empujado por sus dos amigos...

«¡No pienso volver a poner los pies en un *lugar así!*», se decía Alicia mientras trataba de encontrar un camino a través del bosque. «¡En mi vida había asistido a una merienda tan absurda!»

No bien había acabado de pronunciar estas palabras, vio una puertecilla que se abría en el tronco de un árbol.

«¡Qué cosa más extraña! —pensó Alicia—. ¡Pero todo lo que me ha ocurrido hoy es extraño! Lo mejor que puedo hacer es entrar a ver lo que pasa».

Y se encontró de nuevo en el gran salón, junto a la mesita de cristal.

«¡Ahora ya sé cómo hay que hacer las cosas!», se dijo.

Primero cogió la llavecita de oro que había en la mesa y abrió la puerta que conducía al jardín. Después se puso a mordisquear el pedazo de seta que llevaba en el bolsillo, hasta que su tamaño menguó a un pie de altura. Entonces echó a andar por el pasadizo y se encontró, *¡al fin!*, en el maravilloso jardín, rodeada de alegres flores y del murmullo de hermosas fuentes.

CAPÍTULO VIII

El partido de croquet

A la entrada del jardín había un rosal grande lleno de rosas blancas... que tres jardineros se afa naban pintándolas de rojo. Aquello le pareció a Alicia tan sorprendente, que no pudo resistir la tentación de acercarse a ellos para oír lo que decían:

—¡Cuidado con lo que haces, Cinco! ¡Me estás salpicando de pintura!

—¡No fue culpa mía! —decía el Cinco, malhumorado—. ¡Me empujó el Siete!

Y el Siete respondía, airado, levantando la cabeza:

—¡Así me gusta, Cinco! ¡Siempre echándole las culpas a los demás!

—¡*Cierra* la boca! —respondió el Cinco—. ¡Ayer mismo le oí decir a la Reina que merecías que te cortaran la cabeza!

—¿A mí? —exclamó el Dos—. ¿Por qué?

—¡Eso no es asunto tuyo, Dos! —le dijo el Siete.

—¡Y tanto que es asunto suyo! —dijo el Cinco, tocándose el pescuezo.

—¡Te lo voy a decir, Dos! ¡La Reina se enfadó contigo por llevarle al cocinero bulbos de tulipán en lugar de cebollas!

Al oír aquellas palabras, el Siete arrojó la brocha y exclamó indignado:

—¡Habráse visto mayor...!

Y se quedó suspenso en aquella palabra, pues acababa de percatarse de la presencia de Alicia, que los estaba contemplando. Los demás también se volvieron y, al ver a Alicia, le hicieron una profunda reverencia.

—¿Tendrían la bondad de explicarme —les preguntó Alicia cortésmente— por qué están pintando esas rosas?

El Cinco y el Siete se limitaron a mirar al Dos, y este último tomó la palabra:

—¡Distinguida señorita, se lo explicaré! Este rosal que ve aquí debería de haber sido rojo, pero nosotros, por equivocación, plantamos uno blanco, y, si lo descubre la Reina, ¡pues... nos cortará la cabeza! ¡Y estamos, señorita, intentando enderezar el entuerto...!

En ese momento el Cinco, que había estado mirando de reojo, exclamó:

—¡La Reina! ¡Que viene la Reina!

Y los tres jardineros se tiraron de bruces al suelo. Se oyeron pisadas que se acercaban, y Alicia se volvió para presenciar la llegada de la Reina.

Diez soldados con mazas abrían el cortejo. En sus casacas, planas y oblongas como las de los jardineros, pintaban tréboles. A continuación venían diez cortesanos, de dos en dos como los soldados. En sus casacas lucían hermosos diamantes. Y, tras ellos, los infantes de palacio, una decena de preciosas criaturas que iban por el camino saltando alegremente cogidos de la mano de dos en dos, luciendo corazones en sus casacas. Los invitados iban detrás, reyes y reinas, en su mayor parte, y Alicia reconoció, entre ellos, al Conejo Blanco. Estaba tan nervioso, hablando y sonriendo a diestro y siniestro, que no se percató de la presencia de Alicia, cuando pasó a su lado. A continuación, la Sota de corazones, llevando su corona sobre un cojín de terciopelo rojo, y, al final del fastuoso cortejo, el REY Y LA REINA DE CORAZONES.

Alicia no sabía muy bien qué actitud tomar, si postrarse en el suelo como habían hecho los jardineros o permanecer de pie. Por mucho que pensaba, no recordaba haber leído nunca que hubiera que tumbarse en el suelo cuando pasaba un desfile, porque... «¿de qué sirve un desfile —pensaba la niña—, si no queda nadie en pie para verlo?» Así que decidió quedarse donde estaba y esperar a ver qué pasaba.

Al llegar el desfile a la altura de Alicia, todos se detuvieron y se quedaron mirándola. La Reina, con voz altanera, preguntó:

—¿Quién es ésta?

La pregunta iba dirigida a la Sota de corazones, pero ésta, por toda respuesta, se inclinó sonriendo ante su Majestad.

—¡Imbécil! —exclamó la Reina, y, dirigiéndose a Alicia, le preguntó—: ¿Cómo te llamas, niña?

—¡Alicia, para servir a Dios y a su Majestad! —respondió Alicia con mucha cortesía, aunque luego añadiera para sus adentros—: «¡No sé para qué me ando con tantos miramientos! ¡No son más que un mazo de cartas!»

—¿Y quiénes son *éstos?* —quiso saber la Reina, al ver a los tres jardineros echados junto al rosal. Los tres jardineros estaban tumbados boca abajo, de manera que era difícil saber si eran jardineros, soldados, cortesanos o incluso algún infante.

—¿Y a mí que me cuenta? —dijo Alicia, sorprendida de su audacia—. ¡Preguntadselo a ellos!

La Reina se puso roja de ira y, después de lanzar una mirada furibunda a Alicia, puso el grito en el cielo:

—¡Que le corten la cabeza! ¡Que le...!

—¡Eso es absurdo! —exclamó Alicia con voz firme y decidida, que dejó a la Reina atónita y callada.

El Rey le cogió del brazo y le dijo en tono conciliador:

—¡Ten en cuenta, querida, que no es más que una niña!

La Reina, furiosa, se deshizo de su esposo y, volviéndose hacia la Sota, le dijo:

—¡Dales la vuelta!

La Sota cumplió las órdenes de la Reina volteando las cartas con el pie.

—¡De pie! —exclamó la Reina con voz estridente.

Y los tres jardineros saltaron todos a una y comenzaron a hacer reverencia al Rey, a la Reina, a los Infantes y a toda la concurrencia.

—¡Basta ya! —gritó la Reina—. ¡Me estáis mareando! —Y volviéndose hacia el rosal les dijo—: ¿Se puede saber qué estabais haciendo?

—Con la venia de su Majestad —comenzó el Dos, postrándose de rodillas ante la Reina—, nosotros tratábamos...

—¡Ya lo veo! —le atajó la Reina, que había estado examinando las rosas del árbol—. ¡Que les corten la cabeza!

Y el cortejo prosiguió su marcha, dejando atrás a tres soldados para que ejecutaran la sentencia de la Reina. Los tres jardineros se dirigieron a Alicia implorando su protección.

—¡No voy a permitir que os ejecuten! —exclamó Alicia, y los metió en una maceta que había junto a ella.

Los soldados se pasaron un par de minutos buscándolos, y, como no daban con ellos, volvieron a incorporarse al cortejo de la Reina.

—¿Se ha cumplido la sentencia? —gritó la Reina.

—¡Majestad, la sentencia se ha cumplido! —gritaron a una los tres soldados.

—¡Magnífico! —gritó la Reina, y, volviéndose a Alicia, le preguntó—: ¿Sabes jugar al croquet?

Los soldados se callaron, porque la pregunta, evidentemente, iba dirigida a Alicia.

—¡Sí! —contestó Alicia.

—¡Pues entonces adelante! —vociferó la Reina, y Alicia se unió a la comitiva, mientras se preguntaba en qué iba a parar todo aquello.

—¡Un día muy hermoso! ¿No es cierto? —oyó que decía alguien a su lado. Era el Conejo Blanco, que la estaba observando con mucha curiosidad.

—¡Muy hermoso! —dijo Alicia—. ¿Dónde está la Duquesa?

—¡Chitón, chitón! —exclamó el Conejo apresuradamente, llevándose el dedo a la boca.

Mientras hablaba, miraba ansiosamente a su alrededor, y se puso de puntillas para decirle al oído a la niña:

—¡Ni una palabra sobre la Duquesa! ¡Está bajo pena de muerte!

—¿Qué pena?

—¿Has dicho "¡qué pena!"?

—No, no he dicho ¡qué pena! —le contestó Alicia—, porque a mí la Duquesa no me da ninguna pena... Lo que he querido decir es ¿por qué le han dado esa pena?

—¡Por darle un sopapo a la Reina! —dijo el Conejo, y Alicia ya no pudo contener la risa.

—¡Calla, calla, por lo que más quieras! —exclamó el Conejo asustado.

—¡Te va a oír la Reina! Lo que ocurrió fue que la Duquesa llegó tarde, y entonces la Reina le dijo...

—¡Todo el mundo a sus puestos! —se oyó en aquel momento que decía la voz retumbante de la Reina, y la gente comenzó a correr en todas direcciones, tropezando unos con otros, hasta que, tras unos momentos de confusión, cada cual ocupaba el lugar que le correspondía, y empezó el partido.

Se trataba, sin duda, del partido de croquet más extraño que Alicia había disputado en su vida. El terreno de juego estaba lleno de surcos, lo que dificultaba mucho el deslizamiento de la bola..., si es que aquello podía llamarse bola, pues en realidad era... ¡un erizo! ¡Los flamencos hacían las veces de mazas y los aros por donde debía pasar la bola no eran más que soldados que se doblaban por la cintura!

Lo más difícil, tal como advirtió Alicia, estribaba en la forma de coger el flamenco. Tras muchos esfuerzos, consiguió coger el ave por la barriga, de manera que las piernas le colgaban por un lado y la cabeza le salía por el otro. Pero, cuando ya lo tenía agarrado por el pescuezo y se disponía a usarlo de maza, entonces el animal doblaba el cuello y se quedaba mirando a Alicia de manera tan divertida, que la niña se partía de risa y ya no daba pie con bola. Y, cuando había enderezado el cuello del animal y se disponía a darle a la bola con él…, ¡entonces resultaba que el erizo se había desenroscado y había echado a andar por su cuenta! Y, por si fuera poco, siempre se le ponía delante, en el terreno, algún surco difícil de salvar. ¡Tampoco los soldados podían estarse quietos! ¡Se cansaban de estar doblados en forma de arco, y se levantaban, y se desplazaban hacia otros lugares del terreno de juego, y así era muy difícil saber en qué dirección había que golpear la bola! Añádanse las dificultades propias de un terreno tan abrupto y se comprenderá que Alicia lo tenía muy difícil en aquella extraña partida de croquet.

Para acabar de arreglarlo, los jugadores jugaban todos a la vez, sin guardar turno, peleándose por cada jugada y disputándose las bolas de erizo… No tardó la Reina mucho tiempo en perder los estribos, y entonces no hacía más que gritar: «¡Que le corten la cabeza!» cada vez que alguien se interponía en su camino.

Alicia empezó a sentirse incómoda. No había tenido problemas con la Reina, pero podía tenerlos en cualquier momento, «y entonces —se dijo—, ¿qué va a ser de mí? ¡Aquí lo arreglan todo cortando cabezas! ¡Lo raro es que quede alguna en su sitio!»

Y estaba buscando la forma de escabullirse de aquel lugar sin que la vieran, cuando sus ojos se fijaron en una extraña aparición que se cernía en el aire. Al principio no sabía muy bien de qué se trataba, pero poco a poco fue vislumbrando una sonrisa, y entonces se dijo:

«¡Seguro que es el Gato de Cheshire! ¡Al menos tendré con quien hablar!»

—¿Qué tal? —le saludó el Gato, tan pronto como tuvo boca para poder hablar—. ¿Cómo te va?

Alicia aguardó a que le salieran los ojos, y entonces le saludó con la cabeza.

«¿De qué me serviría hablarle ahora —pensó Alicia—, si aún no tiene oídos para escucharme?»

Al cabo de un rato apareció la cabeza entera, y entonces Alicia dejó en el suelo al flamenco que llevaba en brazos y comenzó a contarle el partido de croquet, encantada de tener alguien que la escuchara. El Gato, por su parte, había decidido que era suficiente con sacar la cabeza y que no valía la pena sacar lo demás.

—¡No me gusta cómo juega al croquet esta gente! —se quejaba Alicia—. ¡Para empezar, no juegan limpio! ¡Y encima se están siempre peleando y armando tal alboroto, que no hay quien se entienda! ¡Juegan sin reglas o, si las tienen, no las cumplen! ¡Y lo peor es que los utensilios del juego son bichos vivos! ¡Ahora mismo iba a pasar la bola por aquel aro y resulta que el aro se ha levantado y se ha desplazado al otro lado del terreno! ¡Y hace un momento iba a dar un golpe de castigo, pero no pude porque el animal echó a correr en cuanto vio que llegaba el mío!

—¿Qué opinión te merece la Reina? —le preguntó el Gato en voz muy baja.

—¡Muy mala! —dijo Alicia—. ¡Es una persona tan terrible… —.Y en ese momento se dio cuenta de que la Reina estaba detrás de ella, así que tuvo que rectificar la frase— …mente inteligente, que resulta inútil jugar al croquet con ella, pues siempre gana!

La Reina se alejó con una sonrisa de satisfacción en los labios.

—¿Se puede saber con *quién* estás hablando? —le preguntó el Rey acercándose a Alicia, mirando con gran curiosidad la cabeza del Gato.

—Es un amigo mío —le dijo Alicia—, se llama el Gato de Cheshire... Permítame que se lo presente.

—¡No me gusta nada su aspecto! —comentó el Rey—, pero, en fin, si insistes, dejaré que me bese la mano.

—Muchas gracias, pero prefiero no hacerlo —dijo el Gato.

—¡Qué impertinencia! —exclamó el Rey—. ¡Y no me mires así! —añadió, escondiéndose detrás de Alicia.

—¡Un gato puede mirarle a un Rey a la cara! —dijo Alicia—. Eso lo he leído yo en algún libro, pero ahora mismo no sé en cuál.

—¡Pues la mía no la mira! —gritó el Rey, en plena rabieta de niño chico, y, dirigiéndose a la Reina, que en esos momentos pasaba por allí, le imploró—: ¡Querida, haz algo para quitar de en medio a ese horrible gato!

La Reina sólo conocía un remedio para todos los males, así que, sin apenas volver la cabeza, exclamó:

—¡Que le corten la cabeza!

—¡Yo mismo traeré al verdugo! —exclamó el Rey, y salió corriendo en su búsqueda.

En vista de las circunstancias, Alicia pensó que lo mejor que podía hacer era volver al terreno de juego para ver cómo iba el partido. A lo lejos podía oír la voz furibunda de la Reina increpando a los demás jugadores. Ya había sentenciado a tres al patíbulo por haberse saltado el turno, cosa nada extraña, teniendo en cuenta la confusión que reinaba en el terreno de juego. Algo aprensiva, Alicia se fue en busca de su erizo para continuar la partida.

Lo encontró enzarzado en una pelea con otro erizo. Alicia pensó que era una excelente oportunidad para ejercitar su golpe de castigo, golpeando el uno contra el otro.

Pero entonces echó en falta su maza, ya que su flamenco se había largado al otro extremo del jardín y trataba inútilmente de subirse a un árbol.

Cuando por fin pudo hacerse de nuevo con su flamenco, la pelea de los erizos había concluido y los dos habían desaparecido de la vista... «Tampoco es que importe mucho —pensó Alicia—, pues, de todas formas, los aros se han desplazado al otro lado del jardín.»

Así que, cogiendo a su flamenco bajo el brazo, para que no se le escapara de nuevo, se dirigió hacia donde se encontraba su amigo para reanudar la conversación.

Al llegar adonde había dejado al Gato de Cheshire, se sorprendió al ver que se había congregado una gran multitud de gente, que parecía presa de gran excitación. El Rey, la Reina y el Verdugo estaban enzarzados en una acalorada discusión, mientras que los demás los observaban con un expectante silencio.

Al ver llegar a Alicia, los tres se dirigieron a ella para que actuara de juez en aquel pleito, pero, como los tres hablaban a la vez, la niña no sabía muy bien a quién debía apoyar.

El Verdugo sostenía que era totalmente imposible cortar la cabeza de algo que no tenía cuerpo, que nunca se había encontrado con un caso así en toda su vida y que, a sus años, no se le podían pedir imposibles.

El Rey argumentaba que todo aquello que tiene cabeza puede ser, por definición, decapitado, y le pedía al Verdugo que se limitara a cumplir con su obligación.

La Reina no entraba en disquisiciones filosóficas y decía a voz en grito que o se cumplía la sentencia en aquel mismo instante o todo el mundo iba a perder la cabeza, y no sólo el gato. (Fue este último comentario lo que había provocado el espanto y el terror entre la concurrencia).

Todos se volvieron expectantes a Alicia para ver cómo resolvía el caso.

—El Gato pertenece a la Duquesa —dijo Alicia—. Hay que consultar a la Duquesa antes de proceder a su ejecución.

—La Duquesa está en la cárcel —dijo la Reina y, dirigiéndose al Verdugo, añadió—: ¡Tráela aquí cuanto antes!

Pero la cabeza del Gato se iba desvaneciendo lentamente, así que, cuando llegó el Verdugo con la Duquesa, ya había desaparecido. En vano corría el Rey de acá para allá, tratando de encontrarla. Los demás jugadores habían perdido todo interés en el asunto y se dirigían de nuevo a sus puestos para reanudar el partido.

CAPÍTULO IX

El cuento de la Falsa Tortuga

—¡No sabes lo contenta que estoy de volver a verte, querida! —le dijo la Duquesa a Alicia, cogiéndola del brazo, mientras paseaban por el jardín.

Alicia estaba encantada de ver a la Duquesa de tan buen humor y pensó que su malhumor de antes se debía quizá a la pimienta que había en aquella cocina.

«Cuando yo sea Duquesa —se dijo Alicia, aunque no estuviera muy convencida de llegar a serlo—, lo primero que haré será prohibir el uso de pimienta en la cocina... ¡No hace falta para nada! La sopa está riquísima sin ella. ¿No será que la pimienta irrita a las personas mayores —continuó Alicia, encantada de haber dado con una nueva teoría sobre la existencia humana— y el vinagre las avinagra, y la manzanilla las amarga, de la misma manera que el regaliz y los caramelos endulzan el carácter de los niños? ¡Ay, si la gente conociera estas cosas, no estaría todo el día regateando golosinas a los niños!»

Sus pensamientos la habían llevado tan lejos, que se había olvidado por completo de la Duquesa, de modo que se sobresaltó cuando ésta le susurró al oído:

—¡Se te fue el santo al cielo! ¿No es verdad, mi querida niña? Pues la moraleja de esta historia es que... ¡se me ha olvidado!

—Quizá no tenga moraleja —se atrevió a decir Alicia.

—¡Pues claro que sí! —exclamó la Duquesa—. ¡Todo tiene moraleja! Hay que dar con ella.

A Alicia no le hacía ninguna gracia la forma que tenía la Duquesa de colgarse de su brazo mientras caminaban juntas. En primer lugar, porque la Duquesa era una mujer extraordinariamente fea; y, en segundo lugar, porque era bastante más alta que Alicia, de tal forma que le hincaba el mentón de la barbilla en su hombro. Pero tampoco quería mostrarse descortés con ella, así que procuraba aguantar aquella pesada carga lo mejor que podía.

—Parece que el partido va algo mejor —dijo Alicia por decir algo.

—¡Así es! —dijo la Duquesa—. Y la moraleja de esta historia es que "el amor... hace girar el mundo".

—Pues yo sé de alguien que dijo —le susurró al oído de la Duquesa— que el mundo giraría mucho más deprisa, si la gente no metiera las narices donde no la llaman.

—¡Bueno! ¡Después de todo viene a ser lo mismo! —dijo la Duquesa, hincando con más fuerza su barbilla en el hombro de la pobre Alicia—. ¡Y la moraleja es que "a buen entendedor pocas palabras bastan"!

«Cómo le gusta sacar punta a cualquier tema!», se dijo Alicia.

—Supongo que te estarás preguntando, querida, por qué, en lugar, de cogerte del brazo, no te cojo por la cintura —dijo la Duquesa, después de una pausa—. Es muy sencillo: no me fío ni un pelo de ese pajarraco que llevas bajo el brazo... ¿Crees que se enfadaría, si lo intento?

—Creo que sí. ¡Podría incluso picarla! —dijo Alicia, que no le hacían gracia las proposiciones de la Duquesa.

—¡Tienes mucha razón! —dijo la Duquesa—. ¡Los flamencos y la mostaza tienen algo en común, ambos pican! Ya lo dice el refrán: "Pájaros del mismo pelaje hacen buen maridaje".

—Sólo que la mostaza no es un pájaro —objetó Alicia.

—¡Tienes razón, como siempre! —exclamó la Duquesa—. ¡Hay que ver qué bien te explicas!

—Me parece que es un mineral —dijo Alicia.

—¡Pues claro! —exclamó la Duquesa, que parecía dispuesta a darle la razón a Alicia dijera lo que dijera—. Precisamente tengo yo una mina de mostaza muy cerca de aquí... Y la moraleja es... "si es *mí-a,* no puede ser tuya!"

—Pensándolo bien —dijo Alicia, que no había atendido al último comentario de la Duquesa—, creo que no es mineral sino vegetal, aunque no lo parezca.

—¡Estoy de acuerdo contigo! —dijo la Duquesa—. Ya lo dice el refrán: "Aunque la mona se vista de seda... ¡dama se queda!" Dicho en pocas palabras: "Nunca imagines no ser aquello que a los demás les parece que eres o que pudieras haber sido o pudieras llegar a ser, sino... ¡todo lo contrario!"

—Mucho le agradecería —dijo Alicia con mucha delicadeza— que me diera todo esto por escrito, porque así, de viva voz, pierdo un poco el hilo.

—¡Pues eso no es nada —exclamó la Duquesa muy ufana— comparado con lo que puedo llegar a decir, si quiero!

—¡Por favor —le dijo Alicia—, no se moleste usted!

—¡Pero si no es ninguna molestia! —dijo la Duquesa—. ¡Puedes quedarte con todo lo que te he dicho hasta ahora!

«¡Pues, menudo regalo! —pensó Alicia—. ¡Aviados estaríamos si todos los regalos de cumpleaños fueran como éste!»

—¿Otra vez pensando en las musarañas? —le preguntó la Duquesa, hincando la barbilla de nuevo en su hombro.

—¿Acaso no tengo derecho a pensar? —replicó secamente Alicia, que empezaba ya a estar harta.

—¡El mismo derecho que tienen los cerdos a volar! Y la mora...

La Duquesa se quedó en «mora» de su palabra favorita, «moraleja», y todo su cuerpo comenzó a temblar sacudiendo también a Alicia, a quien tenía cogida del brazo. La sorprendida Alicia levantó la vista y vio delante a la Reina erguida, con los brazos cruzados y una mueca feroz en los labios, que presagiaba tormenta.

—Hermoso día, ¿no es cierto, Majestad? —apenas logró decir la aturdida Duquesa.

—Os voy a dar un consejo —rugió la Reina mientras pataleaba el suelo con los pies—. ¡O vos o vuestra ilustre cabeza está de más en mi jardín! ¡Así que escoged pronto!

La Duquesa escogió pronto, ¡y desapareció al instante!

—Y ahora —dijo la Reina a Alicia—, ¡sigamos jugando!

Alicia estaba demasiado asustada para pronunciar una sola palabra, y se limitó a seguir a la Reina hasta el terreno de juego.

Los demás jugadores, aprovechando la ausencia de la Reina, se habían ido a descansar a la sombra de los árboles, pero en cuanto la vieron aparecer corrieron a ocupar sus puestos en el terreno de juego, sobre todo al oír el comentario de la Reina, de que el más mínimo retraso les iba a costar la vida...

Se reanudó el partido y la Reina se fue desembarazando de todos sus contrincantes, ordenando su inmediata ejecución.

—¡Que le corten la cabeza! ¡Que le corten la cabeza! —gritaba cada vez que se tropezaba con algún adversario, y los soldados que hacían las veces de aros se levantaban para conducir a los sentenciados a la cárcel. Al cabo de media hora, no quedaban ni aros ni jugadores en el campo, si exceptuamos al Rey, a la Reina y a Alicia. Todos los demás estaban bajo custodia.

La Reina decidió abandonar el partido, más que nada porque se había quedado sin aliento de tanto gritar.

—¿Conoces a la Falsa Tortuga? —le preguntó a Alicia.

—No —le dijo Alicia—. En realidad, ni siquiera sé lo que es una falsa tortuga.

—¿De qué crees tú que está hecha la sopa de falsa tortuga? —le preguntó la Reina.

—No tengo idea de lo que es eso —dijo Alicia.

—Entonces ven conmigo —le dijo la Reina—, y conocerás su historia.

Mientras se alejaban del lugar, Alicia oyó al Rey, que decía susurrando a los jugadores detenidos:

—¡Quedáis todos perdonados!

«Menos mal», pensó Alicia, que no se podía sacar de la cabeza a todas aquellas personas que iban... ¡a perderla!

Pronto llegaron ante la presencia de un Grifón (si no sabéis lo que es un Grifón, consultad un libro ilustrado), que se había adormilado al sol.

—¡Arriba, gandul! —le dijo la Reina—. ¡Acompaña a esta señorita hasta donde se encuentra la Falsa Tortuga, para que le cuente su historia...! Yo debo irme, porque tengo... asuntos ejecutivos pendientes.

La Reina se marchó y dejó a Alicia en compañía del Grifón. No es que a Alicia le hiciera gracia el aspecto de aquella bestia, pero la verdad es que entre el Grifón y la Reina había poco donde escoger. Así es que se quedó esperando a ver lo que ocurría.

El Grifón se incorporó, se frotó los ojos, se quedó mirando a la Reina, que se alejaba, y exclamó:

—¡Tiene gracia!

—¿Qué es lo que tiene gracia? —preguntó Alicia.

—¿Qué va a ser? —exclamó el Grifón—. ¡Pues ella! ¡Ella y sus asuntos ejecutivos pendientes! ¡Siempre está mandando ejecuciones que luego nunca ejecuta, es cuestión de coco! ¡Anda, vamos!

«Aquí la gente se pasa la vida mandándote de acá para

allá! —pensaba Alicia mientras seguía los pasos del Grifón—. ¡En este país no soy más que una mandada!»

No tardaron en divisar a lo lejos a la Falsa Tortuga, sentada en una roca. A medida que se acercaban, Alicia podía oír unos lamentos tan profundos, tan profundos que parecía que se le partía el alma.

—¿Pero qué le pasa? —preguntó Alicia, profundamente conmovida.

—¿Qué le va a pasar? —exclamó el Grifón, repitiendo casi al pie de la letra las mismas palabras que antes—. ¡Pues nada! ¡Todo es cuestión de coco! ¡No le pasa absolutamente nada! ¡Anda, vamos!

Así llegaron hasta donde se encontraba la Falsa Tortuga, que se los quedó mirando con los ojos llenos de lágrimas, sin decir una palabra.

—¿Podrías —le preguntó el Grifón a la Tortuga— contarle tu historia a esta señorita? ¡Si no es molestia, digo yo!

—Se la contaré —dijo la Tortuga con una voz lúgubre y profunda—, pero con la condición de que os sentéis ahí y no digáis una palabra hasta que acabe.

Alicia y el Grifón se sentaron en el lugar donde les había indicado la Tortuga, y durante unos minutos reinó un silencio tan profundo, que Alicia llegó a pensar: «¡Es muy difícil que pueda *acabar* su historia, si antes no la *empieza!*»

Pero siguió esperando pacientemente.

—Hubo un tiempo —dijo al fin la Tortuga, lanzando al aire otro profundo suspiro— en que yo era... ¡una verdadera tortuga!

Se quedó mirando callada un buen rato para ver el impacto que había causado tan tremenda revelación en sus oyentes, y durante un tiempo no se oyeron más que los sollozos de la Tortuga, interrumpidos de vez en cuando por algún graznido del Grifón. Tanto se prolongó aquel silencio, que Alicia estuvo a punto de levantarse y decir:

«¡Muchas gracias por su historia! ¡Ha sido muy interesante!» Pero, como no había oído nunca una historia tan corta, se quedó quieta, pensando que tenía que haber más.

—Cuando éramos pequeñas —continuó al fin la Falsa Tortuga, dando muestras de mayor serenidad, aunque todavía lanzaba algún hipido de vez en cuando—, íbamos a una escuela marina... Recuerdo muy bien a la maestra, una vieja tortuga, a la que nosotros llamábamos «tortura».

—¿Y por qué le llamaban así? —quiso saber Alicia.

—¡Vaya pregunta! —exclamó indignada la Falsa Tortuga—. ¡La llamábamos tortura, porque se dedicaba a torturarnos! ¡Mira que eres boba!

—¡Debería darte vergüenza por molestar con preguntas tan tontas! —añadió el Grifón, y los dos, sentados en silencio, fulminaron a Alicia con el abrumador reproche de su mirada.

Alicia habría deseado que le tragara la tierra, pero afortunadamente el Grifón le dijo a la Tortuga:

—¡Venga, sigue, que nos van a dar las uvas!

—Pues sí —continuó la Tortuga—, íbamos a la escuela en el mar, aunque usted no se lo crea, señorita.

—¡Pero si yo no he dicho nada! —protestó Alicia.

—¡No, pero lo estaba pensando! —dijo la Falsa Tortuga.

—¡Chitón! —exclamó el Grifón, antes de que Alicia pudiera abrir la boca.

—Es verdad —continuó diciendo la Tortuga— que recibíamos una educación esmeradísima... ¡Con decirte que íbamos al colegio a diario!

—¡Vaya mérito! —exclamó Alicia—. ¡Yo también voy a la escuela a diario y no lo voy pregonando a los cuatro vientos!

—¿Dais clases extras en tu escuela? —le preguntó la Tortuga con cierta ansiedad.

—¡Pues claro que sí! —exclamó Alicia—. ¡Yo doy francés y música como clases "extra"!

—¿Y lavado? —preguntó la Falsa Tortuga.

—¡Pues claro que no! —respondió Alicia indignada.

—Pues no debe ser una escuela tan buena después de todo —afirmó con suficiencia la Tortuga—. En la nuestra, al pasarnos la cuenta a fin de mes, siempre figuraba el francés, la música... y el lavado como "extras".

—¡Pues no sé de qué os servía lavaros tanto —dijo Alicia, sarcástica—, si vivíais en el fondo del mar!

—Desgraciadamente yo no pude seguir ese curso —se excusó la Falsa Tortuga—. La fortuna de mi familia no daba para tanto... Yo sólo asistía a las clases regulares.

—¿Y cuáles eran esas clases? —quiso saber Alicia.

—Pues las normales —le dijo la Tortuga—. En el parvulario nos enseñaban a Beber y a Escupir, y después, cuando ya estábamos en los primeros cursos de la escuela, pues nos enseñaban las diferentes ramas de la Aritmética, es decir, Fumar, Reptar, Mutilar y Dimitir.

Alicia estaba algo confunsa y sólo se atrevió a preguntar:

—¿Y qué es eso de "dimitir"?

—¿Qué ocurre cuando llegas a la escuela por primera vez? —le preguntó el Grifón a Alicia.

—Pues que... ¡te *admiten* en la escuela! —dijo Alicia.

—Pues dimitir es lo contrario —dijo el Grifón—. ¡Es cuando te echan! Hasta el más tonto sabe eso.

Alicia prefirió no insitir en ese tema, así que, volviéndose a la Falsa Tortuga, le preguntó:

—¿Qué otras asignaturas teníais?

—¡Mi favorita es la Histeria! —le confesó la Tortuga—. Está dividida en dos partes: Histeria Antigua e Histeria Moderna... También dábamos Mareografía y Orujo... Recuerdo muy bien al profesor de Orujo, un viejo congrio, que solía venir a clase con alguna copa de más... ¡Él nos enseñó también la Estatura y la Tintura a Voleo!

—¿Y qué es eso? —preguntó Alicia.

—¡Pues tinturar lo que te salga! —le explicó la Tortuga—. ¡Hay que tener mucho talento! ¡El Grifón era muy patoso y nunca lo aprendió!

—No tenía tiempo —se justificó el Grifón—. Y, además, a mí me tiraban más las letras… ¡Menudo maestro teníamos! ¡Era un viejo cangrejo con más conchas que un galápago!

—Yo nunca asistí a sus clases —suspiró la Tortuga—. Aunque tengo entendido que enseñaba Batín y Friego.

—¡Así es, así es! —repetía emocionado el Grifón, y los dos animales se taparon el rostro con las patas para ocultar la emoción que en aquellos momentos les embargaba—. ¡Sus cursillos eran famosos!

—¿Y cuántas horas duraban esos cursillos? —les preguntó Alicia, deseosa de cambiar de tema de conversación.

—Diez horas el primer día —le dijo la Tortuga—, nueve el segundo y así sucesivamente.

—¡Qué horario más extraño! —exclamó Alicia.

—Por eso los llaman cursillos —dijo el Grifón—. ¡Por que cada día se van haciendo más cortos!

Alicia se puso a pensar en aquel nuevo y sorprendente horario, y, después de echar cuentas, llegó a la siguiente conclusión:

—¿Entonces el undécimo día era fiesta?

—¡Pues claro! —dijo la Falsa Tortuga.

—¿Y qué ocurría en el duodécimo día? —quiso saber Alicia.

—¡Basta ya de cursillos! —la interrumpió el Grifón—. ¿Por qué no hablamos del recreo?

CAPÍTULO X

La contradanza de las langostas

La Falsa Tortuga suspiró profundamente y ocultó su rostro tras una de sus aletas. De vez en cuando miraba a Alicia y trataba de decirle algo, pero unos profundos sollozos le ahogaban la voz.

—¡Hija, ni que te hubieras tragado un hueso! —le decía el Grifón, mientras la sacudía y le daba golpecitos en la espalda.

Por fin la Tortuga consiguió recobrar la voz, y, con los ojos empañados en lágrimas, continuó su discurso:

—Supongo que has vivido poco tiempo bajo el mar...

—¡No he vivido nunca! —dijo Alicia.

—...y que nunca has conocido a una langosta.

—¡Una vez me com...! —exclamó Alicia, pero supo atajar a tiempo y continuó—. ¿Cóm...o dice? ¡No, nunca!

—¡Entonces no tienes ni idea de lo divertida que es la contradanza de las langostas!

—Jamás he oído hablar de esa danza —confesó Alicia—. ¿Qué clase de baile es?

—Verás —le explicó el Grifón—: primero se forma una larga hilera a la orilla del mar.

—¡Dos hileras! —le corrigió la Falsa Tortuga—. En la primera se sitúan las focas, las tortugas, los salmones y demás... Después se procede a limpiar la playa de medusas...

—¡Y no es tarea fácil! —añadió el Grifón.

—...y a continuación se avanza de dos en dos...

—¡Se toma una langosta por pareja!

—Por supuesto —dijo la Tortuga—, y entonces se da la media vuelta...

—...se cambia de pareja, y se retiran en el mismo orden —continuó el Grifón.

—Entonces —le dijo la Tortuga a Alicia— viene lo más divertido. Coges a tu pareja...

—¡Es decir, a la langosta! —exclamó el Grifón entusiasmado, dando un salto en el aire.

—¡...y la lanzas mar adentro lo más lejos que puedas!

—Y entonces... ¡a por ellas! —gritaba fuera de sí el Grifón.

—¡Y cuando las alcanzas en alta mar, entonces das una vuelta de campana con la langosta de turno! —chillaba la Tortuga, que, sin poderse contener, daba zapatetas en el aire.

—¡Cambien de pareja, señores, cambien de pareja! —gritaba desaforado el Grifón.

—¡Y vuelta de nuevo a la playa! —exclamó la Tortuga, y, bajando repentinamente la voz, añadió—: Bueno, así concluye la primera figura de la danza...

Y las dos criaturas, que habían estado dando saltos como locas, se sentaron de nuevo en silencio y se quedaron mirando a Alicia.

—Debe ser una danza muy bonita —dijo Alicia con timidez.

—¿Te gustaría ver cómo se hace?

—¡Me encantaría! —dijo Alicia.

—¿Por qué no lo probamos? —le propuso la Tortuga al Grifón.

—Al fin y al cabo, no hace falta que estén aquí las langostas...

—¿Pero quién de los dos cantará?

—¡Tú misma! —le dijo el Grifón—. ¡A mí se me ha olvidado la letra!

Y así lo hicieron. Comenzaron a danzar lentamente alrededor de Alicia, pisándole los pies a la niña cuando se acercaban demasiado, y, mientras el Grifón marcaba el compás con una de sus patas, la Falsa Tortuga comenzó a entonar esta extraña y misteriosa canción:

«¡Date prisa! —a un caracol
le dijo una pescadilla—.
Deja de rascarte al sol
y salta como una ardilla.

¡Ven a bailar, galopín,
corre, no me dejes sola!
¡Vamos! ¿No ves que un delfín,
me va pisando la cola?

¡Únete a la danza, danza
de los cuatro danzarines,
y danza en la contradanza
hasta gastar los botines!

¡Todos juntos nos iremos
tras la marchosa langosta.
¡Verás cómo volaremos
saltando hasta la otra costa!»

«¡Huy, qué lejos está eso!
—dijo el caracol flemático—.
Quieres dármela con queso,
pero es algo problemático.

¡No me uno a la danza, danza
de los cuatro danzarones,
ni danzo en la contradanza
hasta gastar los tacones!»

«¡Cuánto haces el paripé!
—se escamó la pescadilla—.
Anda, gandul, ponte en pie,
¿no ves que allá hay otra orilla?

Un buen salto desde tierra
no tiene tanta importancia,
y, si te vas de Inglaterra,
¡ya aterrizarás en Francia!

¡Únete a la danza, danza
de los cuatro danzarines,
y danza en la contradanza
hasta gastar los botines!»

—¡Muchas gracias, ha sido una danza muy hermosa! —dijo Alicia, aunque en el fondo se alegraba de que aquello por fin hubiera concluido—. ¡Lo que más me ha gustado ha sido la canción de la pescadilla!

—Y hablando de pescadillas —dijo la Tortuga—, supongo que las habrás visto en alguna parte.

—¡Pues claro! —dijo Alicia—. En mi casa, sin ir más lejos las sirven para la ce... —. Y se cortó al instante.

—No sé qué será eso de la «ce» —dijo la Falsa Tortuga—, pero, de cualquier manera, supongo que sabrás qué aspecto tienen.

—Creo recordar —contestó Alicia, después de pensarlo un poco— que se muerden la cola con la boca, y suelen ir cubiertas de pan rallado.

—Difícilmente pueden ir cubiertas de pan rallado —le dijo la Tortuga—, viviendo, como viven, en el fondo del mar... Pero aciertas en lo de que se muerden la cola con la boca... Y la razón es... La razón es... —decía la Tortuga bostezando—. ¡Mejor será que te lo cuente el Grifón!

—La razón es —continuó el Grifón— que también ellas

fueron al baile de las langostas... Y, cuando llegó su turno, también las lanzaron mar adentro con tanta fuerza, que hubieron de morderse la cola con la boca para que no se les cayera. ¡Y desde entonces ya no ha habido manera de quitárselas de la boca!

—¡Qué historia más interesante! —dijo Alicia—. ¡Nunca pensé saber tantas cosas sobre las pescadillas!

—¡Y te podría contar muchas más! —prosiguió el Grifón—. ¿Podrías decirme, por ejemplo, por qué las pescadillas tienen la carne tan blanca?

—La verdad es que nunca me lo había preguntado —dijo Alicia—. ¿Por qué?

—Porque se utilizan *para sacar brillo a los zapatos* —dijo el Grifón en un tonillo presuntuoso.

—¿Para sacar brillo ha dicho? —le preguntó Alicia, que estaba confundida.

—¡Pues claro! —replicó el Grifón—. Vamos a ver, ¿cómo crees tú que se lustran los zapatos?

Después de mirarse los suyos, Alicia aventuró a decir:

—Con betún, supongo yo...

—¡Querrás decir con *atún!* —le corrigió el Grifón—. Pero eso cuando los zapatos son negros... Si son blancos, como suele ocurrir en el fondo del mar, entonces se blanquean con pescadilla. ¡Ya lo sabes!

—¿Y cómo se ajustan a los pies, si éstos están siempre mojados? —quiso saber Alicia.

—¡Pues con lengüetas de lenguados! —le contestó el Grifón con impaciencia—. ¡Y si pierden la forma, lo que suele ocurrir a menudo con tanta humedad, pues se arquean con unas ballenas! Pero, bueno..., ¡todo esto lo sabe cualquier besugo!

—Si yo hubiera sido la pescadilla —dijo Alicia, volviendo a la canción que acababa de escuchar—, le habría dijo al delfín: «¡Por favor, no moleste! ¡No queremos que nos acompañe!»

—¡No tenían más remedio que llevarle con ellas! —dijo la Falsa Tortuga—. ¡Ningún pez que tenga la cabeza sobre los hombros va a ninguna parte sin un delfín!

—¿De veras? —le preguntó Alicia sorprendidísima.

—¡Pues claro! —dijo la Tortuga—. Si se me acerca un pez y me dice que se va de viaje, lo primero que le preguntaría es: ¿Con qué delfín?

—Querrá usted decir ¿con qué *fin?* —objetó Alicia.

—¡Digo lo que digo! —le espetó la Tortuga ofendida.

—¿Por qué no nos cuentas ahora tus aventuras? —le preguntó el Grifón.

—Sólo podría contarles lo que me ha ocurrido esta mañana —dijo la niña con timidez—. ¡Porque ayer era una persona completamente distinta a la que soy ahora!

—¿Cómo puede ser que ayer fueses una persona distinta? —quiso saber la Tortuga.

—¡Primero cuenta las aventuras! —insistió el Grifón.

Así es que Alicia tuvo que contarles sus aventuras, desde el momento en que vio al Conejo Blanco desaparecer por la madriguera. Al principio le costaba un poco explicarse, pues tenía a las dos criaturas totalmente volcadas sobre ella, con la boca y los ojos abiertos como platos, pendientes de cada una de sus palabras... Pero fue serenándose a medida que transcurría la narración, y las dos criaturas permanecieron en silencio hasta que llegó al recital que le dio a la Oruga del poema en el que un joven le da consejos a un viejo. Alicia les contó que las palabras le habían salido al revés de lo que el poema decía.

—¡Eso es muy extraño! —exclamó la Falsa Tortuga, después de exhalar un largo suspiro.

—¡Es lo más extraño que he oído en mi vida! —corroboró el Grifón.

—¡Así que el poema te salía diferente de como es! Me gustaría una prueba —dijo la Tortuga—. ¿Por qué no recitas algo que conozcas bien para ver lo que ocurre?

—¿Por qué no recitas —le dijo el Grifón— *"¡Es la voz del haragán!"*?

«¡Ya estamos otra vez! —pensó Alicia—. ¡Estos bichos se pasan la vida dando órdenes! ¡Para eso me quedo en la escuela!»

De todas maneras, se puso en pie y comenzó a recitar el poema *"¡Es la voz del haragán!"*, pero su cabeza estaba tan llena de la canción y la danza que había presenciado, que no sabía muy bien lo que decía:

¡Es la voz del huracán,
que sopla fiero en la costa
y no deja a la langosta
lucir su piel de astracán!

Pero ella con la nariz
se hace los tirabuzones,
se abrocha cinto y botones
y se empolva tan feliz.

Alegre como un gorrión,
cuando baja la marea,
la langosta se chotea
incluso del tiburón.

Pero, cuando vuelve el mar
y el tiburón aparece,
la langosta se estremece
y no se atreve a chistar.

—¡Cuando yo era niño lo recitábamos de otra manera! —se quejó el Grifón.

—Pues yo no lo había oído nunca —declaró la Falsa Tortuga—, pero desde luego no dice más que tonterías.

Alicia se echó las manos a la cabeza, mientras se preguntaba si algún día las cosas volverían a ser como antes.

—¡Me gustaría que alguien me lo explicara! —comentó la Falsa Tortuga.

—¡Pero si la que menos lo entiende es ella! —dijo el Grifón, y dirigiéndose a Alicia—: ¡Anda, continúa con la estrofa siguiente!

—Cuéntanos cómo se las arreglaba para hacerse los tirabuzones con la nariz —insistió la Falta Tortuga.

—Así ejecutaba la primera figura de la danza —comenzó a decir Alicia—, y por eso…

Alicia estaba totalmente confundida y no sabía muy bien lo que decía… Por eso se alegró al oír la voz del Grifón, que la interrumpía diciendo:

—¡Continúa con la siguiente estrofa! Recuerda que empieza… "¡Al pasar por su jardín…!"

Alicia no se atrevía a desobedecer al Grifón, aunque se temía lo peor. Así es que, haciendo de tripas corazón, comenzó a recitar de nuevo con voz temblorosa:

Al pasar por su jardín,
de reojo desde fuera,
vi que el búho y la pantera
se comían un budín.

La pantera en poco rato
hizo un reparto virguero:
se comió el pastel entero
y al búho le dejó el plato.

Después, ¡gentileza rara!,
cuando el pastel terminó,
al búho le permitió
quedarse con la cuchara.

Y luego, cogiendo a dúo
el tenedor y el cuchillo,
la pantera un bocadillo
se preparó con…

—¡No sigas, por favor! —le interrumpió la Falsa Tortuga—. ¿De qué me sirve que vayas recitando verso tras verso, si no me explicas lo que significan? ¡Es el poema más confuso que he oído en mi vida!

—¡Será mejor que lo dejes! —le dijo el Grifón a Alicia…, y no se lo tuvo que repetir dos veces.

—¡Ahora nos toca a nosotros entretenerte a ti! —continuó diciendo el Grifón—. ¿Quieres que te enseñemos un nuevo paso de la contradanza o prefieres que te cantemos una canción?

—¡Una canción! ¡Una canción! —palmoteó la niña alegremente—. Si la Falsa Tortuga tuviera la bondad…

—¡Vaya! —exclamó el Grifón, algo contrariado por el vehemente entusiamo de Alicia—. ¡Contra gustos no hay nada escrito! —. E insistió—: ¿Por qué no le cantas la *"Sopa de Tortuga"*?

La Falsa Tortuga suspiró profundamente y, entre grandes sollozos, comenzó a cantar su canción favorita:

¡Ay, sopa, sopita!
¡Ay, sopa humeante!
La que resucita
a un muerto al instante.

¡Ay, sopa, sopita!
¡Ay, sopa, sopera!
Tu sabor me excita,
la sangre me altera.

¡Ay, sopa, sopita,
sopa de puchero!
¡La más calentita,
la que yo más quiero!

¡Ay, so-O-o-pa, sopita!
¡Ay, sopa de amor!
¡Qué menú, chiquita,
que menú, señor!

¡Qué menú, chiquita,
qué menú, señor!

—¡Bis, bis! —gritaba entusiasmado el Grifón.

Y ya se disponía la Tortuga a repetir el estribillo de la canción, cuando se oyó una voz a lo lejos que anunciaba:

—¡Señoras y señores, el proceso va a comenzar!

—¡Corre! ¡Vamos en seguida! —le dijo el Grifón, y, tomando a Alicia de la mano, salió corriendo con ella sin esperar a que la Tortuga acabara su canción.

—¿A quién van a procesar? —quería saber Alicia mientras corría jadeando junto al Grifón.

Pero el Grifón sólo decía: «Deprisa, más deprisa!» mientras corría a todo correr. A lo lejos todavía podían oír, cada vez con menos fuerza, los melancólicos trinos de la Tortuga:

¡Ay, so-O-o-pa, sopita!
¡Ay, sopa de amor!

CAPÍTULO XI

¿Quién robó las tartas?

El Rey y la Reina de corazones habían ocupado ya sus tronos cuando Alicia y su acompañante llegaron a la sala. La sala donde se celebraba la vista del juicio estaba abarrotada por una gran multitud de pajarillos y otros animales así como por una baraja de naipes. Frente a ellos estaba la Sota de corazones, sujeta con cadenas, con un soldado a cada lado para custodiarla. Junto al Rey se encontraba el Conejo Blanco, que llevaba una trompeta en una mano y un rollo de pergamino en la otra. En el centro de la sala había una espléndida bandeja llena de tartas. Tenían un aspecto tan apetitoso, que a Alicia se le hacía la boca agua sólo con mirarlas. «¡Ojalá se acabe pronto este juicio —pensaba la niña—, y empiecen a servir la merienda!» Pero, como, de momento, no parecía muy probable que esto ocurriera, Alicia se dedicó a observar lo que pasaba a su alrededor.

Alicia no había asistido nunca a un juicio, pero había leído tantas historias en las que se celebraban juicios, que sabía perfectamente quién era quién en aquella vista.

«Ése debe ser el juez —se dijo a sí misma—, porque lleva una gran peluca.»

El juez no era otro que el mismo Rey, que se había colocado una gran peluca bajo la corona, lo cual, además de darle un aspecto bastante cómico, no parecía estar muy a gusto con todo aquel peso que llevaba en la cabeza.

«Y eso debe ser la tribuna del jurado, y aquellas doce criaturas que están sentadas en el estrado (tenía que llamarlas criaturas a la fuerza, porque allí había pájaros, aves y bichos de todas clases) supongo que serán los miembros del jurado.»

Alicia pronunció estas últimas palabras con orgullo, paladeando cada una de sus sílabas, pensando, y no sin razón, que pocas niñas de su edad podían saber lo que todo aquello significaba.

Los doce miembros del jurado estaban muy atareados escribiendo en sus pizarras.

—¿Qué escriben? —le preguntó Alicia al Grifón—. No veo qué tienen que apuntar, si el juicio todavía no ha comenzado.

—Están apuntando sus nombres —le dijo el Grifón en un susurro—, ¡no sea que los olviden antes de terminar el juicio!

—¡Serán imbéciles! —exclamó Alicia en voz alta, pero se calló inmediatamente, al oír la voz del Conejo Blanco, que decía: «¡Silencio en la sala!», y al ver que el Rey se ponía las gafas y miraba a su alrededor para ver quién estaba hablando.

Desde donde estaba sentada, Alicia podía distinguir con toda claridad las pizarras en las que estaban escribiendo los miembros del jurado, y cuál no sería su asombro al comprobar que todos ellos habían escrito las palabras: "¡Serán imbéciles!» en sus respectivas pizarras... Incluso uno de ellos se había olvidado de cómo se escribía la palabra y se lo estaba preguntando a su vecino.

«¡Menudo lío se están armando! —pensaba Alicia—. ¡Habrá que ver cómo dejan las pizarras cuando acabe el juicio!»

Un miembro del jurado escribía con una tiza que chirriaba, algo que a Alicia le resultaba insoportable... Así que se levantó y se dirigió adonde estaba el miembro del jurado. Y pronto encontró la ocasión para quitarle la tiza de las manos. Lo hizo con tanta rapidez, que el pobre jurado (se trataba de Bill, la Lagartija) ni se enteró de lo que le había ocurrido... Al ver que la tiza había desaparecido de sus manos, después de estar un rato buscándola, continuó escribiendo con el dedo, lo cual, a decir verdad..., ¡no le iba a servir de mucho!

—¡Pregonero! —exclamó el Rey—. ¡Proceda a leer la acusación!

Al oír estas palabras, el Conejo Blanco dio tres toques de trompeta y, desenrollando el pergamino, dijo así:

—Se hace saber que...

¡La Reina de corazones,
Reina de todos los naipes,
hizo unas soberbias tartas
en una tarde estival!
¡Mas, por allí rondaba
la Sota de corazones,
¡y, sin más contemplaciones,
las tartas robó la tal!

—¿Cuál es vuestro veredicto? —le preguntó el Rey al jurado.

—¡Con la venia de su Majestad! —le interrumpió el Conejo Blanco—. ¡El juicio no puede concluir, si todavía no ha empezado!

—¡Está bien! —concedió el Rey—. ¡Que comparezca el primer testigo!

El pregonero dio tres nuevos toques de trompeta antes de anunciar:

—¡Primer testigo!

El primer testigo era el Sombrerero. Entró en la sala con una taza de té en la mano y un trozo de pan con mantequilla en la otra.

—¡Pido disculpas a su Majestad por entrar de este modo en la sala! —comenzó diciendo el Sombrerero—. ¡No había acabado de tomar el té, cuando fui requerido para declarar ante este tribunal!

—¡Pues deberías haber acabado! —le amonestó su Majestad—. ¿Cuándo empezaste?

El Sombrerero vaciló unos instantes, mirando de reojo a la Liebre de Marzo, que había entrado en la sala llevando del brazo al Lirón.

—Si no me *equivoco,* fue el catorce de marzo —dijo por fin el Sombrerero.

—¡El quince! —le corrigió la Liebre.

—¡El dieciséis! —exclamó el Lirón.

—¡Que todo ello conste en acta! —dijo el Rey, dirigiéndose a los miembros del jurado.

Y los miembros del jurado se apresuraron a escribir las tres fechas en sus pizarras…, ¡entonces echaron la suma y redujeron el total a libras, chelines y peniques!

—¡Haced el favor de quitaros vuestro sombrero! —le ordenó el Rey.

—¡Eso no es posible —dijo el Sombrerero—, porque no es *mío!*

—Conque *robado,* ¿eh? —exclamó el Rey y, volviéndose a los miembros del jurado, añadió—: ¡Que conste en acta!

—Tengo muchos sombreros, pero ninguno es mío —explicó el testigo—. Todos son para vender. Soy sombrerero.

Al oír aquellas palabras, la Reina se caló sus impertinentes y comenzó a observar al Sombrerero de tal manera, que éste se puso aún más nervioso de lo que estaba.

—¡Prestad declaración! —le conminó el Rey—. ¡Y dejad de moveros de un lado para otro o me veré obligado a dejaros quieto para siempre!

Las palabras del Rey no consiguieron animar precisamente al testigo… El pobre Sombrerero estaba cada vez más nervioso, cambiando el peso de un pie al otro, mientras echaba furtivas miradas a la Reina... ¡Estaba tan nervioso, que, en una ocasión, en lugar de morder la rebanada de pan, que tenía en una mano, le pegó un bocado a la taza de té, que tenía en la otra!

En esos momentos, Alicia sintió una sensación extraña. Al principio no sabía muy bien de qué se trataba, pero pronto averiguó la causa..., ¡estaba creciendo de nuevo! Estuvo apunto de levantarse para salir de la sala, pero se lo pensó mejor y decidió quedarse en su sitio.... ¡siempre y cuando hubiera espacio para ello!

—¡A ver si no empujamos! —le dijo el Lirón, que estaba sentado a su lado—. ¡No le dejan a uno espacio ni para respirar!

—¡Lo siento! —dijo Alicia con una voz muy humilde—, pero es que... ¡estoy creciendo!

—¡Pues vete a otra parte a crecer, porque *aquí* no se crece! —le contestó el Lirón.

—¡Pues claro que se crece aquí! —exclamó Alicia, encantada de poder exhibir sus conocimientos—. ¡Aquí y en todas partes! ¡Aunque no se dé cuenta, usted ahora mismo está creciendo!

—¡Sí, hija mía! —le contestó el Lirón—, ¡pero no a esas velocidades! ¡Es que mareas a cualquiera! —añadió el Lirón mientras se alejaba de Alicia, caminando hacia el otro extremo de la sala.

La Reina, mientras tanto, no le quitaba el ojo de encima al Sombrerero, y, aprovechando la confusión creada por el Lirón al desplazarse de un lado al otro de la sala, ordenó a uno de los ujieres:

—¡Tráeme la lista de los cantantes que actuaron en el último concierto!

Al oír las palabras de la Reina, el Sombrerero comenzó a temblar de pies a cabeza, así que se le cayeron los zapatos de los pies.

—¡Prestad declaración —le ordenó el Rey—, o, de lo contrario, mandaré que os ejecuten al instante!

—Majestad —comenzó diciendo el Sombrerero mientras le castañeteaban los dientes—, yo no soy más que un pobre hombre..., y un buen día, cuando comenzaba a tomar el té, bueno, no haría más de una semana que lo estaba tomando..., me percaté de que el pan con mantequilla estaba disminuyendo de forma alarmante, y que las tazas empezaban a tintinear...

—*¿Qué* es lo que tintineaba? —le preguntó el Rey.

—¡Todo *empezó* con el té! —exclamó el Sombrerero.

—¡Pues claro que tintinear *empieza* con"te"! —exclamó exasperado el Rey—. ¿Me tomáis por mentecato? ¡Continuad!

—Majestad, yo no soy más que un pobre hombre —dijo de nuevo el Sombrerero—, y sólo puedo deciros que, a partir de aquel momento, todo empezó a tintinear... Y entonces la Liebre de Marzo dijo...

—¡Yo no dije nada parecido! —protestó la Liebre.

—¡Pues claro que lo dijiste! —insistió el Sombrerero.

—¡Nada de nada! —se reafirmó la Liebre.

—¡Niega la acusación! —exclamó el Rey—. ¡Que no conste en acta!

—¡Pues sería el Lirón el que lo dijo! —afirmó el Sombrerero, mirando por el rabillo del ojo hacia donde estaba el Lirón por si éste también lo negaba... Pero no había ningún peligro que lo hiciera, porque el Lirón se había quedado profundamente dormido...

—Y después de aquello —continuó el Sombrerero— me serví una nueva rebanada de pan con mantequilla.

—¿Pero se puede saber qué es lo que dijo el Lirón? —quiso saber uno de los miembros del jurado.

—Pues no lo recuerdo —dijo el Sombrerero.

—¡Pues *haced* memoria —le ordenó el Rey—, si no queréis perder la cabeza!

Al oír esta nueva amenaza de ejecución, el pobre Sombrerero dejó caer todo lo que llevaba en las manos, y, postrándose a los pies del Rey, le imploró:

—¡Majestad, yo no soy más que un pobre hombre!

—¡Lo que sois es un *orador* muy *pobre!* ¡Eso es lo que sois! —exclamó el Rey.

La ocurrencia del Rey provocó los aplausos de uno de los Conejillos de Indias que estaba en la sala, pero fue inmediatamente "sofocado" por los ujieres que se encontraban en la sala. (Yo no sé si vosotros sabéis cómo se "sofocan" unos aplausos, así es que voy a contaros cómo lo hicieron los ujieres... Cogieron una bolsa de lona, que llevaba un nudo corredizo, metieron al infortunado conejillo dentro y a continuación se sentaron encima, con objeto de que el animal quedara "sofocado").

«¡Bueno, pues ya sé cómo se sofocan los aplausos! —pensó Alicia—. Muchas veces leo en los periódicos que, en la vista de un juicio, "los aplausos fueron inmediatamente sofocados por los ujieres de la sala", y el caso es que nunca había entendido cómo se sofocaban los aplausos.»

—¡Si no tenéis más que declarar —le dijo el Rey al Sombrerero—, podéis descender del estrado!

—¡No puedo "descender" —dijo el Sombrerero—, porque ya estoy en el suelo!

—En ese caso —dijo el Rey—, ¡podéis *sentaros* en el suelo!

La nueva ocurrencia del Rey fue saludada por los aplausos del otro Conejillo de Indias que se hallaba en la sala... Aplausos que fueron debidamente "sofocados" por los ujieres.

«¡Se acabaron los Conejillos! —pensó Alicia, al ver al segundo Conejillo desaparecer bajo la bolsa de lona—. ¡A ver quién se atreve a hacer ahora "experimentos"!»

—Con la venia de su Majestad —dijo el Sombrerero, que no le quitaba ojo a la Reina, quien, en aquellos momentos, estaba repasando la lista de cantantes que actuaron en el último concierto—, desearía retirarme para poder acabar de tomar el té.

—¡Podéis retiraros! —dijo el Rey, y al Sombrerero le faltó tiempo para salir disparado en dirección a la puerta de la sala, sin preocuparse siquiera de ponerse los zapatos.

—¡Que le corten la cabeza en cuanto salga! —vociferó la Reina, que acababa de hallar el nombre del Sombrerero en la lista de cantantes.

Pero, antes de que llegaran los ujieres, el Sombrerero había franqueado la puerta de salida y se había perdido en la oscuridad.

—¡Que comparezca el próximo testigo! —ordenó el Rey.

El siguiente testigo era la Cocinera de la Duquesa. Llevaba un bote de pimienta en una mano, y Alicia supo que era ella antes de que entrara en la sala, pues todo el mundo comenzó a estornudar en cuanto se acercó a la puerta.

—¡Prestad declaración! —le ordenó el Rey.

—¡Ni hablar! —le replicó la Cocinera.

El Rey se quedó boquiabierto y miró al Conejo Blanco en busca de auxilio.

—Su Majestad debe someter a esta testigo a un intenso interrogatorio —le aconsejó en voz baja el Conejo.

—¡Bueno, si no hay más remedio! —suspiró el Rey, poniendo cara de circunstancias.

Y, doblando los brazos, dirigió una mirada tan profunda a la Cocinera, que sus ojos casi se le cerraron de lo perdidos que estaban... Por fin le preguntó con voz cavernosa:

—¿De qué están hechas las tartas?

—En gran parte, de pimienta —contestó la Cocinera sin inmutarse.

—¡Están hechas de melaza! —se oyó una voz somnolienta detrás de la Cocinera.

—¡Detened a ese Lirón! —vociferó la Reina fuera de sí—. ¡Cortadle la cabeza! ¡Expulsadlo! ¡Sofocadlo! ¡Cortadle los bigotes! ¡Hacedle picadillo!

Durante unos minutos reinó el caos en la sala mientras se procedía a expulsar al Lirón, circunstancia que aprovechó la Cocinera para desaparecer.

—¡No importa! —exclamó el Rey, aliviado, al comprobar la desaparición de la Cocinera—. ¡Que comparezca el siguiente testigo!

—Querida —le dijo el Rey a la Reina por lo bajo—. ¿Por qué no te encargas tú de interrogar al siguiente testigo? ¡Estos juicios me producen una espantosa jaqueca!

Alicia vio cómo el Conejo Blanco examinaba la larga lista de testigos que tenía en la mano y sintió una gran curiosidad por saber quién era el próximo... Cuál no sería su sorpresa cuando oyó al Conejo Blanco con su vocecita estridente gritar el nombre de:

—¡Alicia!

CAPÍTULO XII

El testimonio de Alicia

—¡Presente! —gritó Alicia.

Y, olvidándose de lo mucho que había crecido mientras estaba en la sala, se levantó con tanto ímpetu, que el borde de su falda tiró de la tribuna y se vino abajo. Los miembros del jurado fueron a caer sobre las cabezas del público que había bajo la tribuna, y durante unos minutos se produjo tal agitación de brazos, cuerpos y piernas, que Alicia no podía menos que recordar el día que volcó una pecera llena de peces de colores sobre la alfombra de su casa.

—¡Cuánto lo siento! *¡Perdonen!*—decía la niña, consternada, mientras los iba recogiendo uno a uno y los volvía a colocar en su lugar a toda prisa, como le ocurrió con los peces el día que volcó la pecera, pensando que les faltaba el aire para respirar.

—¡Se suspende la sesión hasta que todos los miembros del jurado hayan vuelto a ocupar sus escaños! —anunció el Rey con voz estentórea, y luego, mirando fijamente a Alicia, añadió—: ¡He dicho *todos!*

Alicia echó una mirada a la tribuna del jurado y vio que, con la prisa, había colocado a una de sus ilustrísimas boca abajo. Se trataba de la Lagartija, que estaba empotrada cabeza abajo en su asiento y no podía hacer otra cosa que mover la cola con resignación. Alicia rectificó su posición, «aunque —se dijo— a éste le da igual tener la cabeza arriba que abajo..., ¡para lo que le sirve!»

En cuanto los miembros del jurado se repusieron del susto, y tuvieron de nuevo en sus manos las tizas y las pizarras, comenzaron a redactar un informe sobre el accidente que habían sufrido. Todos menos la Lagartija, que parecía muy afectada por el accidente sufrido y se había quedado como ausente, la boca abierta y la mirada perdida en el techo de la sala.

—Vamos a ver —le dijo el Rey a Alicia—, ¿qué sabes tú de este asunto?

—Nada —respondió Alicia.

—¿Nada... *de nada?* —inquirió el Rey.

—¡Nada de nada! —le contestó Alicia.

—¡Ah! ¡Eso es de gran transcendencia! —exclamó el Rey, dirigiéndose a los miembros del jurado, y los miembros del jurado se disponían a anotar las palabras del Rey en sus pizarras, cuando fueron interrumpidos por el Conejo Blanco:

—Intranscendencia es lo que, sin duda, ha querido decir su Majestad! —dijo en tono muy cortés, pero frunciendo el entrecejo, mientras hablaba al Rey.

—¡Naturalmente! ¡Eso es justamente lo que había querido decir! —exclamó el Rey para la galería, pero para sí iba repitiendo, «¿transcendente?, ¿intranscendente?, ¿trascendente?, ¿intrascendente?», sin saber muy bien a qué carta quedarse.

En el jurado hubo división de opiniones..., ¡la mitad escribió transcendente, y la otra mitad, intranscendente!

«Al fin y al cabo, ¿qué más da?», se dijo Alicia mientras contemplaba a aquellos animales escribir afanosamente la dichosa palabra en sus pizarras.

Mientras tanto, el Rey, que había estado afanosamente escribiendo en su cuardeno de notas, se incorporó y ordenó con su voz retumbante:

—¡Silencio en la sala! —. Y a continuación dio lectura a la nota que acababa de redactar—. Artículo Cuarenta y Dos del Reglamento. Dice así: *Toda persona que mida más de una milla de estatura debe abandonar inmediatamente la sala.*

Todo el mundo miró a Alicia.

—¡Pero si yo no mido una milla! —protestó Alicia.

—¡Yo diría que sí! —protestó el Rey.

—¡No me extrañaría que midiera más de dos! —exclamó la Reina, echando leña al fuego.

—¡Pues no pienso marcharme! —exclamó Alicia—. ¡Además, esa norma no vale, porque su Majestad acaba de inventársela!

—¡Mentira! —exclamó el Rey—. ¡Es el artículo más antiguo de nuestro reglamento!

—Entonces —le replicó Alicia—, ¿por qué no figura con el número uno? —le preguntó.

El Rey palideció al oír la pregunta de Alicia y, cerrando su cuaderno de notas, decidió cortar por lo sano:

—¡Miembros del jurado! —dijo con una voz algo apagada—. ¿Cuál es su veredicto?

—Con la venia de su Majestad —intervino el Conejo Blanco dando un salto—. ¡Acaban de aparecer nuevas pruebas! ¡Han interceptado este mensaje!

—¿Qué es lo que dice? —quiso saber la Reina.

—Todavía no lo he abierto —dijo el Conejo Blanco—. ¡Pero parece ser una carta escrita por un prisionero a... alguien!

—¡Sería muy raro que la carta estuviera dirigida a... nadie! —observó el Rey.

—¿Qué señas lleva en el sobre? —quiso saber un miembro del jurado.

—No lleva señas —dijo el Conejo Blanco—. No lleva nada escrito en el *exterior* —. Y, desdoblando el papel, le echó una ojeada—. Después de todo, no se trata de una carta, sino de unos versos.

—¿Están escritos de puño y letra del acusado? —preguntó otro miembro del jurado.

—Pues no —dijo el Conejo Blanco—, ¡y eso es exactamente lo que más confunde!

(Todos los miembros del jurado pusieron una cara de gran extrañeza.)

—¡Debe haber imitado la letra de otra persona! —dijo el Rey.

(Los rostros del jurado se iluminaron, gracias a la nueva teoría del Rey.)

—¡Con la venia de su Majestad! —dijo la Sota—. ¡Yo no he escrito esa carta, y, además, nadie puede probar que lo haya hecho, porque el escrito no lleva firma alguna!

—¡Peor me lo pones! —exclamó el Rey—. ¡No firmar un escrito es una ofensa muy grave! Todo hombre honrado firma aquello que escribe.

Aquel hermoso parlamento del Rey despertó el entusiasmo en la galería, que lo celebró con una ronda de aplausos.

—En cualquier caso —intervino la Reina— su culpabilidad está más que *probada*... Por lo tanto, ¡que le corten...!

—¡No se ha probado nada! —protestó Alicia—. ¡Ni siquiera os habéis molestado en leerlo!

—¡Pues bien, leed esos versos! —ordenó el Rey.

El Conejo Blanco colocó sus impertinentes en la nariz para proceder a su lectura.

—¿Por dónde quiere su Majestad que comience? —le preguntó al Rey.

—Comienza por el comienzo —dijo el Rey con toda gravedad—, continúa por la continuación y finaliza por el final. Y punto.

Se produjo en la sala un silencio expectante, cuando el Conejo Blanco comenzó a leer aquellos versos:

¿Has ido por fin a verla?
¿De mí le has podido hablar?

Dice que soy una perla,
pero que no sé nadar.

Resulta cosa probada
que ella te dijo que sí;
mas, si insiste en la jugada,
¿qué va a ser luego de ti?

Si a ella ellos dos le dieron,
tú tres y ella una te dio,
¿cómo de ella a ti volvieron,
si antes las tenía yo?

Y, si yo o ella nos viéramos
implicados en el caso,
él confía en que, como éramos,
tú los libres por si acaso.

Y tú has sido para mí
toda una mujer modélica,
mas hay quien dice de ti
que eres bastante histérica.

Esto para los demás
siempre quedará en secreto,
pues siempre has sido y serás
un amante muy discreto.

—¡Ésta es la prueba más importante que se ha presentado hasta el momento! —dijo el Rey frotándose las manos—. Así es que... proceda el jurado a dictar...

—¡Si alguno de los miembros del jurado —le interrumpió Alicia, que había crecido tanto en los últimos minutos, que ya no le tenía miedo a nadie— es capaz de explicarme el significado del poema, le daré seis peniques! ¡Esto no tiene ni pies ni cabeza!

«¡Esto no tiene ni pies ni cabeza!», escribían como locos los miembros del jurado en sus pizarras, pero ninguno se ofreció a explicarle a Alicia el poema.

—Si el poema no tiene sentido —razonó el Rey—, ¡mucho mejor! ¡Así nos ahorramos la molestia de buscárselo! Y sin embargo —continuó el Rey, mientras extendía sobre sus rodillas el papel donde estaban escritos los versos y les echaba una ojeada—, me parece que vislumbro cierto significado en ellos... Veamos aquí, por ejemplo donde dice: *«...no sé nadar»*...Tú tampoco sabes nadar, ¿no es verdad? —añadió volviéndose hacia la Sota.

La Sota movió tristemente la cabeza mientras decía:

—¿Cómo voy a saber nadar?

(Verdaderamente era mucho pedirle a un naipe hecho de cartón que supiera nadar!).

—Bueno —dijo el Rey muy satisfecho—. ¡Por ahora todo encaja! Veamos cómo sigue... *«Resulta cosa probada»*, para el jurado, por supuesto. *«Si insiste en la jugada»*, eso, sin duda, se refiere a la Reina —continuó el Rey, pensando en la afición de la Reina por el croquet—, y, más abajo, *«¿qué va a ser luego de ti?»* Es lo que falta por saber —dijo mirando a la pobre Sota— qué va a ser de ti. Y prosigue: *«Si a ella ellos dos le dieron, tú tres y ella una te dio»*..., refiriéndose, evidentemente, a las tartas...

—¡Pero acabe de leer! —exclamó Alicia indignada, y luego añadió—: *«¿Cómo de ella a ti volvieron, si antes las tenía yo?»*.

—Y han vuelto, ¡aquí están! —dijo el Rey en tono triunfal, señalando la bandeja de tartas que había en la mesa—. ¡Todo está más claro que el agua! Pero prosigamos... Dice aquí que *«hay quien dice de ti que eres bastante histérica»*. Tú nunca has sido de ésas, ¿verdad, querida? —le preguntó a la Reina.

—*¿Histérica* yo? —bramó la Reina, mientras arrojaba un

tintero a la cabeza de la pobre Lagartija (Bill había dejado de escribir, al darse cuenta de que su dedo no dejaba ninguna huella en la pizarra..., pero ahora, al percatarse de que la tinta le goteaba de la cabeza, comenzó a escribir de nuevo).

—¡Esto no es ser *histérica!*—dijo el Rey, al ver los destrozos producidos por el proyectil de la Reina—. ¡Esto es... otra historia!

Y se volvió hacia la concurrencia con una gran sonrisa en el rostro, pero el público acogió sus palabras con el más absoluto silencio.

—¡Es un chiste! —dijo al fin el Rey con voz indignada y toda la sala prorrumpió en grandes carcajadas.

—Y bien, señores del jurado, ¿cuál es su veredicto? —dijo el Rey por enésima vez.

—¡Nada de veredicto! —le cortó la Reina—. ¡Primero la sentencia! ¡Tiempo habrá para el veredicto!

—¡Qué insensatez! —exclamó Alicia, sin poder contenerse—. ¿Dónde se ha visto que se dicte sentencia antes de conocerse el veredicto?

—¡A callar! —vociferó la Reina, poniéndose roja de ira.

—¡No me da la gana! —le replicó Alicia.

—¡Que le corten la cabeza! —chilló la Reina con toda la fuerza de sus pulmones.

Pero nadie se movió para cumplir la sentencia de la Reina.

—¡Lo veis! ¡Ya nadie os hace caso! —le dijo Alicia, que había recuperado su estatura habitual—. ¿Cómo os van a hacer caso si sólo sois un mazo de naipes?

Al oír estas palabras, toda la baraja se elevó por los aires para caer sobre Alicia golpeándola el rostro. Sorprendida por aquel aluvión que se le venía encima, Alicia dejó escapar un chillido mientras apartaba a manotazos los naipes que le caían en la cara... Hasta que despertó, tumbada en la orilla del río, con la cabeza apoyada en el regazo de su hermana, que se entretenía en apartar algunas hojas secas que habían caído en el rostro de Alicia...

—¡Despierta, Alicia, despierta! —le decía su hermana—. ¡Menuda siesta te has echado!

—¡Y no sabes tú las cosas raras que he soñado!

Y le contó a su hermana lo mejor que pudo las extrañas aventuras que le habían ocurrido y que vosotros acabáis de leer. Cuando acabó, su hermana le dio un beso y le dijo:

—¡Fue realmente un sueño muy extraño! Pero ahora tienes que ir a tomar el té..., ¡se está haciendo tarde!

Alicia se levantó y se fue corriendo hacia su casa con la cabeza aún llena de las imágenes de aquel país maravilloso que había conocido en sueños.

Pero su hermana siguió sentada en el mismo lugar, con la cabeza apoyada en las manos, contemplando el sol que se ponía lentamente en el horizonte, pensando en Alicia y en sus maravillosas aventuras, hasta que ella también empezó a soñar a su manera y esto fue lo que soñó.

Soñó primero con Alicia, y la vio de nuevo allí sentada, con los brazos alrededor de las rodillas y sus brillantes y ardientes ojos puestos en los suyos. Podía incluso oír el timbre de su voz y distinguir aquel gesto tan suyo de apartarse con la mano un mechón de pelo, que *siempre* le caía por encima de los ojos... Poco a poco el lugar fue poblándose de todos aquellos sonidos y sensaciones de aquel mundo maravilloso que Alicia había visitado en su imaginación.

Podía oír el ruido de la hierba agitándose a sus pies..., ¡era el Conejo Blanco corriendo hacia la madriguera! ¡Un poco más lejos se podía oír el chapoteo de un Ratón zambulléndose en una pequeña charca! ¿Y no era aquel ruido como de campanillas el famoso *tintineo* de las tazas de té de la Liebre de Marzo y sus amigos? También podía oír, en la distancia, la voz estridente de la Reina, repitiendo una y otra vez la orden de ejecución y los estornudos del bebé-cerdito, acunado en los brazos de la Duquesa, y el estrépito de platos y fuentes que se partían al estrellarse contra ella... Y el aire se llenó, una vez más, del agudo carraspeo del Grifón, y el chirrido de la tiza de Bill, y de los gritos "sofocados" de los Conejillos de Indias, y todo esto se confundía con los profundos sollozos que emitía, en su lamento, la garganta de la Falsa Tortuga.

Y así permaneció durante un buen rato, sentada y con los ojos cerrados, y casi llegó a convencerse de que se encontraba, efectivamente, en el País de las Maravillas... Aunque sabía muy bien que no tenía más que abrir los ojos y todo volvería a ser lo que realmente era... La hierba volvería a ser sólo eso, hierba agitada por el viento, y el Mar de Lágrimas volvería a ser una pequeña charca que había a su lado, los juncos mecidos levemente por la brisa... Y el tintineo de las tazas de té se convertiría en el distante tañer de las esquilas de un rebaño de ovejas, y los gritos de la Reina, en las voces de algún zagal llamando a su rebaño... Y sabía muy bien que los estornudos del bebé, el profundo carraspeo del Grifón y todos aquellos extraños sonidos que poblaban el mundo de Alicia no eran más que la confusión de ruidos que provenían de una granja cercana... ¡Hasta los aparatosos sollozos de la Falsa Tortuga se tornaban en los lejanos mujidos de alguna vaca en la distancia!

Finalmente trató de imaginarse cómo sería su hermanita convertida ya en mujer adulta y cómo guardaría, a lo largo de su vida, el alma cándida de cuando era niña...

Trató de imaginársela rodeada de hijos, contándoles alguna historia que encendiera la luz de sus ojos, contándoles, quizá, aquel viaje que ella misma había emprendido muchos años atrás al País de las Maravillas. Sabiendo muy bien que Alicia reviviría, en las alegrías y tristezas de sus hijos, aquellos dulces días de su niñez, las horas de aquella tarde dorada de verano.

ÍNDICE

TÍTULOS DE LA COLECCIÓN

1 Niccolò Machiavelli, EL PRÍNCIPE
2 Gustavo Adolfo Bécquer, RIMAS
3 Oscar Wilde, EL FANTASMA DE CANTERVILLE
4 José Martí, ISMAELILLO. VERSOS LIBRES. VERSOS SENCILLOS
5 Edgar Allan Poe, CUENTOS DE INTRIGA Y TERROR
6 Anónimo, LA VIDA DE LAZARILLO DE TORMES
7 Franz Kafka, LA METAMORFOSIS
8 Lewis Carroll, ALICIA EN EL PAÍS DE LAS MARAVILLAS
9 Miguel de Cervantes, DON QUIJOTE DE LA MANCHA, I
10 Miguel de Cervantes, DON QUIJOTE DE LA MANCHA, II
11 Gustavo Adolfo Bécquer, LEYENDAS
12 William Shakespeare, HAMLET
13 Arcipreste de Hita, LIBRO DE BUEN AMOR
14 Charles Dickens, CANCIÓN DE NAVIDAD
15 Pedro Calderón de la Barca, LA VIDA ES SUEÑO
16 José Hernández, MARTÍN FIERRO
17 Duque de Rivas, DON ÁLVARO O LA FUERZA DEL SINO
18 Félix Mª Samaniego, FÁBULAS MORALES
19 Juan Valera, PEPITA JIMÉNEZ
20 Homero, ILÍADA
21 Anónimo, POEMA DE MÍO CID
22 Pedro Calderón de la Barca, EL ALCALDE DE ZALAMEA
23 Jean de la Fontaine, FÁBULAS ESCOGIDAS PUESTAS EN VERSO
24 Jorge Manrique, COPLAS POR LA MUERTE DE SU PADRE. POESÍA COMPLETA
25 Homero, ODISEA
26 Félix Lope de Vega, FUENTE OVEJUNA
27 Friedrich Nietzsche, ECCE HOMO
28 L. Fernández de Moratín, EL SÍ DE LAS NIÑAS
29 William Shakespeare, MACBETH
30 Dante Alighieri, LA DIVINA COMEDIA
31 Esopo, FÁBULAS ESÓPICAS
32 Fernando de Rojas, LA CELESTINA
33 Charles Baudelaire, LAS FLORES DEL MAL
34 Khalil Gibran, ALAS ROTAS
35 J.-B. Poquelin Molière, EL ÁVARO
36 Friedrich Nietzsche, ASÍ HABLÓ ZARATUSTRA
37 Jean Jacques Rousseau, EL CONTRATO SOCIAL
38 Fray Luis de León y S. Juan de la Cruz, POESÍAS COMPLETAS
39 Willian Shakespeare, ROMEO Y JULIETA
40 Publio Virgilio Marón, ENEIDA
41 Francisco de Quevedo, HISTORIA DE LA VIDA DEL BUSCÓN
42 Luigi Pirandello, SEIS PERSONAJES EN BUSCA DE AUTOR
43 Marcel Proust, UN AMOR DE SWANN

44 Lao-Tzu, TAO TÊ CHING
45 Tirso de Molina, EL BURLADOR DE SEVILLA
46 René Descartes, DISCURSO DEL MÉTODO
47 José Martí, LA EDAD DE ORO
48 Horacio Quiroga, CUENTOS DE AMOR DE LOCURA Y DE MUERTE
49 Miguel de Cervantes, NOVELAS EJEMPLARES, I
50 Miguel de Cervantes, NOVELAS EJEMPLARES, II
51 Ricardo Güiraldes, DON SEGUNDO SOMBRA
52 William Shakespeare, SUEÑO DE UNA NOCHE DE VERANO
53 Robert Louis Stevenson, EL EXTRAÑO CASO DEL DR. JEKYLL Y DEL SR. HYDE
54 Jorge Isaacs, MARÍA
55 James Joyce, DUBLINESES
56 Friedrich Nietzsche, EL ANTICRISTO
57 Jack London, LEY DE VIDA Y OTROS CUENTOS
58 Edgar Allan Poe, NARRACIONES EXTRAORDINARIAS
59 Joseph Conrad, CORAZÓN DE TINIEBLAS
60 Gilbert Keith Chesterton, EL HOMBRE QUE FUE JUEVES
61 Nikolai V. Gogol, NOVELAS DE SAN PETERSBURGO
62 Mariano Azuela, LOS DE ABAJO
63 Pedro Antonio de Alarcón, EL SOMBRERO DE TRES PICOS
64 F. Scott Fitzgerald, EL GRAN GATSBY
65 Benito Pérez Galdós, MARIANELA
66 Franz Kafka, EL PROCESO
67 William Shakerpeare, EL MERCADER DE VENECIA
68 Mary W. Shelley, FRANKENSTEIN
69 César Vallejo, POEMAS HUMANOS
70 Friedrich Nietzsche, GENEALOGÍA DE LA MORAL
71 William Shakespeare, OTELO
72 Emily Brontë, CUMBRES BORRASCOSAS
73 Domingo Faustino Sarmiento, FACUNDO
74 Oscar Wilde, EL RETRATO DE DORIAN GRAY
75 Roberto Arlt, EL JUGUETE RABIOSO
76 Voltaire, CÁNDIDO, O EL OPTIMISMO
77 George Orwell, REBELIÓN EN LA GRANJA
78 Fíodor Dostoievski, MEMORIAS DEL SUBSUELO
79 Bartolomé de Las Casas, BREVÍSIMA RELACIÓN DE LA DESTRUCCIÓN DE LAS INDIAS
80 Gustave Flaubert, MADAME BOVARY
81 Raymond Radiguet, EL DIABLO EN EL CUERPO
82 Benito Pérez Galdós, MISERICORDIA
83 Fernando Pessoa, EL BANQUERO ANARQUISTA
84 Luis Coloma, PEQUEÑECES
85 Jane Austen, ORGULLO Y PREJUICIO
86 Friedrich Nietzsche, HUMANO, DEMASIADO HUMANO
87 Johann W. Goethe, PENAS DEL JOVEN WERTHER
88 Virginia Woolf, FLUSH, UNA BIOGRAFÍA
89 Lev N. Tolstoi, LA MUERTE DE IVAN ILICH
90 Santa Teresa de Jesús, LIBRO DE LA VIDA